B1

MOTIVE
K O

Puchta

KURSBUCH, Lektionen
Deutsch als Fremdsprache

Hueber Verlag

Für die Beratung und die hilfreichen Hinweise bei der Entwicklung des Lehrwerks danken wir
Dr. Andrea Geier, Deutschkurse bei der Universität München e. V., Deutschland

▶ 5|4 Die Inhalte der *Kursbuch-Audio-CD* finden Sie auch unter www.hueber.de/motive

◖ Die Hörbeispiele zum *Audiotraining* finden Sie unter www.hueber.de/motive

Eine *Grammatikübersicht* und weiteres Material finden Sie unter www.hueber.de/motive

3. 2. 1.   Die letzten Ziffern
2020 19 18 17 16   bezeichnen Zahl und Jahr des Druckes.
Alle Drucke dieser Auflage können, da unverändert,
nebeneinander benutzt werden.
1. Auflage
© 2016 Hueber Verlag GmbH & Co. KG, München, Deutschland
Umschlaggestaltung: Sieveking · Agentur für Kommunikation, München und Berlin
Zeichnungen: © Hueber Verlag / Mascha Greune
Layout und Satz: Sieveking · Agentur für Kommunikation, München und Berlin
Druck und Bindung: Firmengruppe APPL, aprinta druck GmbH, Wemding
Printed in Germany
ISBN 978-3-19-001882-6

Art. 530_18361_001_01

Vorwort

Liebe Lernende!

MOTIVE ist ein kompaktes Lehrwerk. Es soll Sie in möglichst kurzer Zeit zu den Niveaustufen A1, A2 und B1 des Europäischen Referenzrahmens führen.

Das Erlernen einer Fremdsprache macht Freude, vor allem am Beginn eines Kurses. Die meisten Lernenden erleben aber auch Phasen, in denen das Lernen nicht so leichtfällt. Wir möchten Ihnen helfen, Ihre hohe Anfangsmotivation aufrechtzuerhalten.

Das Bedürfnis, Texte in der Fremdsprache zu verstehen, und das Bedürfnis, sich in der fremden Sprache mitzuteilen, sind wohl die wichtigsten Motive für das Fremdsprachenlernen. Sie sind der Motor des Fremdsprachenerwerbs. MOTIVE versucht, diesen Motor am Laufen zu halten. Dies geschieht vor allem über interessante Texte und Situationen sowie über Aufgaben, bei denen Sie über das sprechen und schreiben, was Sie betrifft.

Aufbau des Lehrwerks

Das Lehrwerk besteht aus dem Kursbuch, Audio-CDs zum Kursbuch, dem Arbeitsbuch mit MP3-Audio-CD sowie Übungen und Aufgaben im Internet.

Acht kompakte Lektionen führen Sie auf das Niveau A1, zehn Lektionen auf das Niveau A2 und zwölf weitere Lektionen auf das Niveau B1.

Die Aufgaben und Übungen im Arbeitsbuch und im Internet folgen der Progression im Kursbuch. So können Sie nach den Präsentations- und Übungsphasen im Kurs selbstständig zu Hause weiter üben. Auch die Lösungen für die Arbeitsbuchübungen finden Sie im Internet.

Aufbau der Lektionen

Die zwölf Lektionen sind jeweils einem Lektionsthema gewidmet. Jede Lektion besteht aus einer Einstiegsseite, drei Doppelseiten mit Texten, Aufgaben und Übungen, sowie einer Übersichtsseite mit der Grammatik und den wichtigsten Redemitteln aus der Lektion.

Auf den Einstiegsseiten finden Sie kurze Modelltexte, die Ihre Erfahrungen zum jeweiligen Lektions-thema aktivieren sollen. Auf der Basis dieser Modelltexte schreiben Sie eigene Texte und üben dabei Strukturen und Wortschatz aus den vorhergegangenen Lektionen.

Die drei Doppelseiten sind unterschiedlichen Aspekten des Lektionsthemas gewidmet.

Auf jeder Doppelseite steht ein interessanter Hör- oder Lesetext im Zentrum der Spracharbeit. Die Übungen davor und danach präsentieren und trainieren Redemittel, Grammatik und Wortschatz. Alle Aktivitäten bleiben dabei im Kontext des Themas. So wird kommunikative, formfokussierte Spracharbeit im Unterricht möglich.

Adjektive mit *-lich* wissenschaftlich, künstlich, …	sollen Elisas Bruder soll Popsänger sein.	Die Grammatik- und Sprach-kästen weisen auf sprachliche Besonderheiten hin.

▶ 5|24 Dieses Symbol verweist auf einen Hörtext. Auf den Audio-CDs zum Kursbuch finden Sie auch viele Lesetexte in einer Hörtextversion.

《 Dieses Symbol verweist auf das Audiotraining. Die Hörbeispiele finden Sie unter www.hueber.de/motive

AB Einer Doppelseite im Kursbuch entspricht eine Doppelseite mit Übungen im Arbeitsbuch. Hinweise auf die entsprechenden Übungen und Aufgaben finden Sie sowohl im Kursbuch als auch im Arbeitsbuch.

→ Perfekt, Lektion 7

Dieses Symbol steht bei Wiederholungsübungen. Es verweist auf eine Lektion in MOTIVE A1 oder A2.

Viel Motivation und Erfolg beim Lernen
wünschen Ihnen Autoren und Verlag

Inhalt

C	WORTFELDER	GRAMMATIK
Veränderungen im Leben – über wichtige Personen sprechen – über wichtige Veränderungen berichten	Personen beschreiben	Nebensatz – Konjunktion *als, (immer) wenn;* Plusquamperfekt; Nebensatz – Konjunktion *nachdem;* Wortbildung: *-los;* Wiederholung: Perfekt; Präteritum
der Heimatfilm – über den Inhalt eines Films sprechen	Tätigkeiten im Alltag	Wortbildung: Adjektiv + Nomen, Nomen + Nomen; Nebensatz – Konjunktion *indem;* Konjunktiv II – irreale Bedingungen; Wiederholung: Präpositionen; Wechselpräpositionen; Verben mit Präpositionen
Werbung – über Werbung sprechen – Assoziationen formulieren	Einkauf; Alltagsgegenstände	Sätze mit *um … zu …;* Nebensatz – Konjunktion *damit;* Adjektivdeklination (3) nach Nullartikel; Wiederholung: Adjektivdeklination (1/2); Infinitivsätze
Statistiken – über Statistiken/Grafiken sprechen	Essen und Trinken; Grafiken	Wortbildung: Adjektive mit *-lich;* Passiv mit Modalverb; Konjunktiv II – Vermutungen; Wiederholung: Passiv Präsens; indirekte Fragesätze; Genitiv
Fernweh – die eigene Heimat beschreiben – das „Traumland" beschreiben	Landschaft; Natur	Adjektivdeklination – Komparativ; temporale Nebensätze (1) – Konjunktion *während, bevor;* Präpositionen mit Genitiv *außer-, inner-, unter-, oberhalb;* Wiederholung: Komparativ; Adjektivdeklination (1/2); Konjunktiv II
Höflichkeit und Rücksicht – über Regeln für höfliches Benehmen diskutieren – über körpersprachliche Signale sprechen	Wohnen; Beziehungen; Körpersprache	Nebensatz – Relativsätze mit Relativpronomen im Akk., Dat. und mit Präpositionen; zweiteilige Konjunktionen (1) *sowohl … als auch, weder … noch, entweder … oder;* Wiederholung: Wortbildung: Adjektive mit *un-;* Personalpronomen

Inhalt

Kennenlernen

Fragen über Fragen

a Lesen Sie die Fragen und sammeln Sie im Kurs weitere interessante
persönliche Fragen zu den Themen.

1 Wie feierst du dein Lieblingsfest?

Feste feiern

2 Welche Kommunikationsmittel verwendest du am liebsten? Warum?

Kommunikation

3 Wo, wie und was kaufst du am liebsten ein?

Einkaufen

4 Mit wem gehst du gern einkaufen?

Tiere

5 Welche Haustiere hattest du als Kind, welche hast du heute?

6 Welche positiven oder negativen Erfahrungen hattest du mit Tieren?

Wetter

7 Welches Wetter und welche Jahreszeit magst du, welches Wetter magst du nicht?

8 Wie sieht es an deinem Lieblingsurlaubsort aus?

Landschaft

9 Welche Landschaften findest du attraktiv, welche gefallen dir nicht so gut?

10 Was kochst du gern?

Essen und Trinken

11 In welchem Restaurant isst du besonders gern? Warum?

12 Wo und wie würdest du gern wohnen?

Wohnen

13 Wie hat deine erste Wohnung ausgesehen?

14 Was hast du schnell gelernt, was war für dich schwierig?

Lernen

15 Was möchtest du in Zukunft noch lernen?

Familie

16 Würdest du lieber in einer Großfamilie oder allein leben? Warum?

17 Was gefällt dir an deinen Freunden, worüber ärgerst du dich?

Beziehungen

18 Wohin ging deine interessanteste Reise?

19 Wann und wo hast du deinen schönsten Urlaub verbracht?

Reise

20 Welche Musik, welche Bücher, welche Filme magst du?

Kultur

21 Welche Verkehrsmittel benutzt du besonders gern? Warum?

Verkehr

22 Wann und wie hat dir schon einmal eine Ärztin oder ein Arzt geholfen?

Gesundheit

23 Für welche Sportarten interessierst du dich?

Sport

24 Welchen Sport treibst du selbst?

b Wählen Sie fünf Fragen aus a aus und notieren Sie persönliche Antworten.

c Partnerarbeit. Erzählen Sie von Ihren Antworten.

*Meine Lieblingsjahreszeit ist
der Frühling. Es gefällt mir,
wenn die Sonne scheint.*

*Ich gehe gern ins Theater.
Ich habe in der Schule ein
bisschen Theater gespielt.*

d Erzählen Sie im Kurs über Ihre Partnerin / Ihren Partner.

*Samirs Lieblingsjahres-
zeit ist der Frühling.*

Wer war ...?

der Wissenschaftler Albert Einstein

die Sängerin Tina Turner

mein Freund Franz Meyer, Sportler

meine Großmutter

der Politiker Mahatma Gandhi

Vorbilder

a Welche Menschen haben Sie besonders beeinflusst?
Wer war ein Vorbild für Sie? Warum? Machen Sie Notizen.

Name	Warum wichtig? Warum ein Vorbild?
Michael Gröbel (Deutschlehrer)	hat mein Interesse für Literatur geweckt
Harald (mein Lieblingsbruder)	...

b Lesen Sie. Wer ist für Ralf wichtig? Warum?

Ralf: In der Schule war mein Geschichtslehrer sehr wichtig für mich. Anfangs mochte ich ihn gar nicht so sehr, weil er ziemlich streng war. Aber er war der erste Lehrer, der mit uns auch über aktuelle Politik diskutiert hat. Damals habe ich begonnen, mich für Politik zu interessieren.
In meiner Familie ist Hanna besonders wichtig für mich. Sie ist meine Lieblingsschwester. Sie ist zwei Jahre älter als ich, und sie war schon in der Schule mein großes Vorbild. Wenn ich auf dem Schulweg Probleme mit älteren Kindern hatte, hat sie mir oft geholfen.

c Schreiben Sie einen Text mit Ihren Ideen aus **a** und sprechen Sie mit Ihrer Partnerin / Ihrem Partner.

Meine Deutschlehrerin / Mein Deutschlehrer war sehr wichtig für mich, weil ...
Damals habe ich begonnen, mich für ... zu interessieren.
Ich habe sie / ihn ... kennengelernt / zum ersten Mal gesehen / getroffen.
Sie / Er ist / war lustig / sympathisch / intelligent / ein interessanter / ... Mensch.
Anfangs mochte ich sie / ihn nicht. / Ich mochte sie / ihn sofort.
Sie / Er hat mir gezeigt, wie ... Sie / Er ist / war jemand, die / der ... Wenn ich ...,

... war ein Vorbild für mich.

Wie hast du ... kennengelernt?

SIE LERNEN

- *über interessante Personen berichten*
- *biografische Angaben machen*
- *ein Experiment beschreiben*

GRAMMATIK
- Nebensätze mit *als*, *(immer) wenn*
- Plusquamperfekt
- Nebensatz mit *nachdem*
- Wortbildung *-los*
- Wiederholung: Perfekt; Präteritum

WORTSCHATZ
- Personen beschreiben

AB **A1 Idole von früher und heute**

a **Was glauben Sie, welche Beschreibung (1–5) passt zu wem (A–E)? Ordnen Sie zu.**

A Marlene Dietrich ☐ B Mick Jagger ☐ C Franz Beckenbauer ☐ D Marie Curie ☐ E Willy Brandt 1

1 ~~deutscher Bundeskanzler, Friedensnobelpreis 1971~~   2 Sänger, begeistert auch heute noch seine Fans
3 Wissenschaftlerin, entdeckte die Radioaktivität   4 zweifacher Weltmeister (als Fußballspieler und als Trainer)
5 Schauspielerin, selbstständige, emanzipierte Frau, moderne Ansichten

b **Sammeln Sie im Kurs Ihre Idole aus Kunst, Musik, Wissenschaft, Politik und Sport.**

▶ 5|1 c **Lesen Sie und hören Sie die Texte. Wer spricht über welche Personen (A–E) in a? Ordnen Sie zu.**

Die Idole unserer Eltern und Großeltern

Welche Menschen haben unsere Mütter und Väter begeistert? Welche Idole hatten unsere Mütter, Väter, Großmütter und Großväter? Unsere Leserinnen und Leser geben Antwort.

1 ☐ Mein Großvater hat in einem Kino gearbeitet. Da konnte er alle Filme umsonst sehen. Er war vor allem von Marlene Dietrich begeistert. Sie war damals ein großer Star. Sie war aber auch eine selbstständige, emanzipierte
5 Frau und hatte sehr moderne Ansichten. Das hat meinem Großvater gefallen. Übrigens ist er meiner Großmutter bei einem Marlene-Dietrich-Film begegnet[1]. Dafür ist er bis heute dankbar.   Jan, 38

2 ☐ Mein Vater war in seiner Schulzeit sehr stolz[2] auf seine langen Haare. Er hat damit sogar Probleme mit dem Schuldirektor bekommen. Doch auch Strafen[3] haben nicht geholfen: „Ich schneide mir meine Haare erst ab, wenn Mick Jagger auch kurze Haare trägt", hat er seinen Lehrern erklärt. Seine Rolling-Stones-Platten hat
10 er selbstverständlich bis heute aufgehoben[4].   Hanna, 27

3 ☐ Meine Mutter hat als junges Mädchen Fußball gespielt. Das war damals nicht so selbstverständlich wie heute. In ihrem Zimmer hatte sie Poster von Fußballspielern und Fußballmannschaften. Franz Beckenbauer war ihr großes Idol. Heute ist sie ein Fan der deutschen Frauenfußball-Nationalmannschaft und nimmt alle Spiele der Mannschaft im Fernsehen auf[5].   Erich, 20

4 ☐ 15 Mein Vater hat sich schon in der Schule intensiv mit Mathematik und Physik beschäftigt[6]. Heute ist er Elektrotechniker. Meine Großmutter erzählt, dass er dauernd[7] in seiner Werkstatt saß und an seinen elektronischen Geräten gebastelt[8] hat. In seinem Zimmer hatte er Bilder von Albert Einstein und Marie Curie, der Entdeckerin der Radioaktivität.   Nadja, 25

5 ☐ Meine Mutter hat sich immer schon für Politik interessiert. Als junges Mädchen hat sie Willy Brandt getroffen.
20 Das war ein unvergessliches Erlebnis für sie. Später hat sie sich an Demonstrationen gegen die Atomkraft[9] beteiligt[10] und bei Friedensmärschen[11] mitgemacht. Für sie waren die Siebziger- und Achtzigerjahre die aufregendste[12] Zeit ihres Lebens, erzählt sie heute.   Ewald, 34

[1] jmdn. treffen [2] sehr zufrieden sein, etw. gern zeigen [3] etw. Schlimmes [4] behalten [5] etw. speichern [6] etw. machen, seine Zeit verbringen
[7] immer [8] etw. reparieren oder bauen [9] ☢ [10] mitmachen [11] Demonstration für den Frieden ☮ [12] interessant

d **Lesen Sie noch einmal. Sind die Sätze richtig oder falsch? Kreuzen Sie an.**

	richtig	falsch
1 Jans Großvater fand Marlene Dietrichs Ideen nicht so gut.	☐	☒
2 Hannas Vater wollte seine Haare nicht schneiden lassen.	☐	☐
3 Erichs Mutter speichert die Spiele von allen Fußballmannschaften.	☐	☐
4 Nadjas Vater hat Bücher über Mathematik und Physik veröffentlicht.	☐	☐
5 Ewalds Mutter war politisch aktiv.	☐	☐

e Partnerarbeit. Eine Partnerin / Ein Partner hat das Buch und fragt, die/der andere antwortet wie im Beispiel.

Wer hat elektronische Geräte gebastelt?

Nadjas Vater, das steht in Text 4.

f Unterstreichen Sie in den Texten in c alle Perfekt-Formen und ordnen Sie zu.

→ Perfekt, Lektionen 7 + 8

regelmäßige Verben und Mischverben (Partizip II …-t)	unregelmäßige Verben (Partizip II …-en)	Infinitiv
hat gearbeitet	–	arbeiten
–	hat gefallen	…

AB **A2 Biografien: Marlene Dietrich und Albert Einstein**

▶ 5|2, 3 a Partnerarbeit. Was glauben Sie? Was passt zu Albert Einstein (E), was zu Marlene Dietrich (D)? Ordnen Sie zu und sprechen Sie. Hören Sie dann und vergleichen Sie.

Nazi-Diktatur
Von 1933–1945 gab es in Deutschland eine Diktatur unter Adolf Hitler. Viele Menschen mussten aus Deutschland fliehen. Auch viele Künstler und Wissenschaftler verließen Deutschland.

Albert Einstein oder Marlene Dietrich?

1 E *1879, verbrachte die Kindheit und Jugend in München. ☐ wurde 1901 in Berlin geboren.

2 ☐ besuchte eine Schauspielschule. ☐ entwickelte die Relativitätstheorie.

3 ☐ unterrichtete ab 1914 als Universitätsprofessor in Berlin. ☐ feierte erste Erfolge in Berlin mit dem Film „Der Blaue Engel".

4 ☐ unterstützte in den USA Auswanderer aus Deutschland. ☐ protestierte gegen den Ersten Weltkrieg.

5 ☐ erhielt den Nobelpreis. ☐ trat 1944/1945 für US-Soldaten an der Kriegsfront auf.

6 ☐ weigerte sich 1934, von einer USA-Reise nach Deutschland zurückzukommen. ☐ präsentierte nach dem Krieg erfolgreich Lieder und Chansons in Deutschland.

7 ☐ veröffentlichte 1987 Memoiren. ☐ nahm 1940 die US-amerikanische Staatsbürgerschaft an.

8 ☐ starb 1992 in Paris. E starb 1955 in Princeton.

b Ordnen Sie die Präteritum-Formen aus a zu und schreiben Sie die Infinitive.

→ Präteritum, Lektion 12

regelmäßige Verben und Mischverben (Präteritum mit -t-)	unregelmäßige Verben	Infinitiv
verbrachte	–	verbringen
–	wurde	werden
…	…	…

c Finden Sie 20 besondere Verben im Rätsel. Schreiben Sie dann alle drei Formen wie im Beispiel.

FLOG|GEZOGENGENOMMENBLIEBGETRUNKENGEGESSENGINGSPRACHRIEFSTAND SANGFANDFIELSAHDACHTEGESCHWOMMENGABGEHOLFENAUFGESTANDENTRUG

fliegen – flog – ist geflogen, …

d Partnerarbeit. Zeigen Sie ein Verb aus c mit Gesten. Ihre Partnerin / Ihr Partner nennt die Verbformen.

gehen – ging – ist gegangen

e Machen Sie ein Rätsel wie in c mit anderen Verben. Ihre Partnerin / Ihr Partner findet die Verben.

B

B1 Wie gut können Sie sich selbst kontrollieren?

a Was passt für Sie? Lesen Sie die Fragen 1–9 und ergänzen Sie (a). Denken Sie dann an eine andere Person (Freunde, Verwandte, Bekannte). Was passt zu ihr? Schreiben Sie Sätze wie im Beispiel (b).

(fast) immer   meistens   manchmal   (fast) nie

Wie gut können Sie sich kontrollieren?

1 a Wenn ich einen Termin habe, bin ich _fast nie_ pünktlich.
    b _Wenn Julia einen Termin hat, ist sie immer pünktlich_ .

2 a Wenn jemand mich beleidigt, beschimpfe ich die Person _____ .
    b _Wenn jemand _____ beleidigt, ..._ .

3 a Wenn etwas schmeckt, esse ich _____ zu viel davon.
    b _____ .

4 a Wenn jemand mein Fahrzeug beschädigt, möchte ich seines (ebenfalls) _____ beschädigen.
    b _____ .

5 a Wenn jemand mich anschreit, werde ich _____ auch laut.
    b _____ .

6 a Wenn ich am Abend zu lange gefeiert habe, bleibe ich _____ den ganzen nächsten Tag im Bett.
    b _____ .

7 a Wenn ich eine Prüfung habe, lerne ich _____ erst ganz kurz vor der Prüfung.
    b _____ .

8 a Wenn ich Medikamente einnehmen muss, vergesse ich das _____ .
    b _____ .

9 a Wenn ich vorhabe, Sport zu treiben, mache ich das _____ .
    b _____ .

b Partnerarbeit.
Erzählen Sie Ihrer Partnerin / Ihrem Partner von sich und von der anderen Person.

> *Wenn ich einen Termin habe, komme ich meistens zu spät, aber meine Freundin Julia ist immer pünktlich.*

B2 Selbstkontrolle und Vorbilder

▶ 5 | 4 **a** **Hören Sie und beantworten Sie die Fragen.**

1 Wer wollte am Morgen joggen gehen?
2 Wer war wirklich joggen?
3 Warum denkt Nadine an ihre Tante, wenn sie Sport treiben möchte?

Nadine, Marcel, Jennifer

▶ 5 | 4 **b** **Hören Sie noch einmal. Was passt? Ordnen Sie zu. Wer sagt was? Ergänzen Sie.**

Nadine (N)   Jennifer (J)   Marcel (M)

1 _M_ : Als heute Morgen der Wecker geklingelt hat,   [c]
2 ____ : Immer wenn ich am Abend zu lange fernsehe,   [ ]
3 ____ : Als ihr um Viertel vor sieben noch nicht da wart,   [ ]
4 ____ : Immer wenn ich laufen gehen will,   [ ]
5 ____ : Als ich dann an Waltraud gedacht habe,   [ ]

a denke ich an Waltraud.
b bin ich alleine gelaufen.
c ~~habe ich einfach weitergeschlafen.~~
d war es plötzlich kein Problem mehr aufzustehen.
e kann ich am Morgen danach nicht aufstehen.

> **Nebensatz mit *als***
> Der Wecker hat heute Morgen geklingelt.
> Ich habe weitergeschlafen.
>
> Als heute Morgen der Wecker geklingelt hat,
> habe ich einfach weitergeschlafen.

> **Nebensatz mit *(immer) wenn***
> Ich will laufen gehen. Ich denke an Waltraud.
>
> Immer wenn ich laufen gehen will,
> denke ich an Waltraud.

AB B3 Ein schlechter Tag ...

a Für Jennifer und Marcel hat der Tag schlecht begonnen. Ergänzen Sie die Sätze im Präteritum wie im Beispiel.

die Steckdose / nicht funktionieren   kein warmes Wasser / kommen   es / einen Fleck haben
sie / keine Streichhölzer haben   er / keine saubere Pfanne finden können
sie / die Zahnbürste nicht finden können   ~~Marcel / ein bisschen weiterschlafen~~

1 Als der Wecker klingelte, _schlief Marcel ein bisschen weiter_ .
2 Als Marcel sein Lieblingshemd anziehen wollte, _____ .
3 Als Jennifer ihre Zähne putzen wollte, _____ .
4 Als Marcel sich duschen wollte, _____ .
5 Als Jennifer die Kaffeemaschine einschalten wollte, _____ .
6 Als Marcel Eier mit Speck braten wollte, _____ .
7 Als Jennifer das Gas für den Herd anzünden wollte, _____ .
Als beide schließlich den Bus versäumten, wussten sie: Das war nicht ihr Tag.

b Partnerarbeit. Auch Sie hatten keinen guten Tag. Schreiben Sie in sechs Minuten möglichst viele Sätze mit *als*.
Lesen Sie Ihre besten Sätze im Kurs vor.

Als ich zur Bushaltestelle kam, fuhr der Bus gerade ab. Als ...

AB B4 Vorbilder wirken!

a Lesen Sie den Text und markieren Sie den Fehler in der Zeichnung.

(Vor)Bilder im Kopf

Vorbilder wirken[1]! Das konnten Forscher in einem Experiment zum Thema Selbstdisziplin feststellen.
Die Versuchspersonen mussten bei diesem Experiment an Personen denken, die sie gut kannten. Einige Versuchspersonen
5 sollten an eine sehr disziplinierte Person denken. Sie sollten zum Beispiel an jemanden denken, der immer pünktlich ist, regelmäßig Sport treibt oder in seiner Wohnung immer Ordnung hält. Andere Versuchspersonen sollten an eine Person denken, die wenig Selbstkontrolle hat. Sie dachten zum Beispiel
10 an jemanden, der sehr oft Termine vergisst, Sachen liegen lässt, oft länger im Bett bleibt oder häufig[2] zu viel isst und trinkt.
Danach mussten die Versuchspersonen einen Test zur Selbstkontrolle machen. Sie mussten möglichst lange einen Handtrainer[3] mit der Hand zusammendrücken. Das Ergebnis[4] war eindeutig[5]: Immer wenn die Versuchspersonen an disziplinierte Bekannte dachten, konnten sie den Handtrainer sehr lange zusammendrücken. Wenn
15 jemand an eine undisziplinierte Person dachte, gab er sehr schnell auf[6]. Für die Forscher war klar: Positive und negative „Vorbilder" haben Einfluss auf uns, auch dann, wenn wir nur an sie denken.

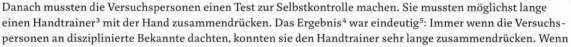

[1] beeinflussen   [2] oft   [3]   [4] Folge   [5] ganz klar   [6] (für immer) aufhören

b Partnerarbeit. Erklären Sie das Experiment und korrigieren Sie den Fehler in der Zeichnung in a. Schreiben Sie.

Die Versuchsperson A hat an jemanden gedacht, der ...
Sie konnte den Handtrainer ...
Die Versuchsperson B ...
Das Experiment zeigt, dass ...

c Wie passt Nadines Erfahrung in 2a zu dem Experiment in 4a? Schreiben Sie.

Immer wenn Nadine ..., denkt sie an ...

d An wen denken Sie, wenn Sie ...? Schreiben Sie.

Wenn ich Klavier spiele, denke ich oft an meinen Cousin Andreas.

e Gruppenarbeit: Lesen Sie Ihre Sätze vor und erzählen Sie von den Personen.

Mein Cousin Andreas ...

C

▶ 5|5 **a** **Lesen Sie und hören Sie. Über welche Themen (1–5) schreiben die Personen (A–E)? Ordnen Sie zu.**

1 Traumberuf   2 Sport   3 Alkoholprobleme   4 Auslandsstudium   5 Geburt

---

Im Gespräch – Der Onlinechat

Aktuelles Thema: Welche Menschen und welche Ereignisse[1] haben Ihre Meinungen, Ansichten oder Ihren Lebensweg beeinflusst? Erzählen Sie von Lebenssituationen, die Sie verändert haben.

(A) ☐ Gast_0039: Ich hatte eigentlich nie daran gedacht, im Ausland zu studieren. Aber als meine Freundin Klara mir erzählt hat, dass sie nach London gehen will, war für mich alles klar. Ich wusste, das mache ich jetzt auch. Ich habe sie begleitet[2]. Klara war ja schon öfter im Ausland gewesen, für mich war es eine neue Erfahrung. Heute muss ich sagen, es hat sich gelohnt[3]. Meine Englischkenntnisse haben mir geholfen, einen tollen Job zu bekommen. Ich arbeite heute bei einer internationalen Firma.

(B) ☐ Tabu12: Mein Freund Alex hat mir in einer sehr schwierigen Situation geholfen. Ich war geschieden, arbeitslos und hatte ein Alkoholproblem. Es ging wirklich bergab mit mir, aber Alex hat mir den Weg zurück gezeigt. Er war so wie ich ganz unten gewesen, aber er hatte seine Situation nicht akzeptiert. Es war ihm gelungen[4], seine Berufsausbildung abzuschließen und sein Leben in den Griff zu bekommen[5]. Das hat auch mir geholfen. Es hat mir gezeigt, dass man es schaffen kann.

(C) ☐ Babypause: Vor einem halben Jahr ist unser Sohn Paul auf die Welt gekommen, und da hat wirklich ein neuer Lebensabschnitt für uns begonnen. Mein Mann und ich hatten uns fest entschlossen[6], beruflich weiterzukommen. Wir hatten nur an unsere Karriere und unser Einkommen[7] gedacht. Kinder hatten wir ausgeschlossen[8]. Doch dann kam Paul. Heute sind wir glücklich, dass er da ist. Auch wenn es anders gekommen ist, als wir gedacht hatten.

(D) ☐ Sandra02: Ich hatte mich nie für Fußball interessiert und mich beim Fußball überhaupt nicht ausgekannt[9]. Aber dann habe ich Michael kennengelernt. Er war ein riesiger[10] Fußballfan und hat mich ins Stadion mitgenommen. Da hat mich das Fußballfieber endgültig[11] gepackt. Heute bin ich sogar bei den Auswärtsspielen unserer Mannschaft dabei.

(E) ☐ Prima_Ballerina: Ich hatte als kleines Mädchen Ballettunterricht[12] gehabt, hatte das Tanzen aber wieder aufgegeben. Und dann habe ich im Kino den Film „Pina" von Wim Wenders gesehen, einen Film über die Choreografin Pina Bausch. Nachdem ich den Film gesehen hatte, war mein Berufswunsch klar. Ich wusste: „Ich will wieder tanzen, ich will Tänzerin werden."

---

[1] das, was passiert ist   [2] mit jmdm. mitgehen oder -fahren   [3] etw. ist sehr gut für die Person
[4] etw. funktioniert, wie man es möchte   [5] zurechtkommen, ein normales Leben führen
[6] den Plan haben, etw. zu tun   [7] das, was man verdient   [8] gar nicht wollen
[9] etw. genau wissen   [10] sehr groß   [11] man kann etw. nicht mehr verändern   [12]

> arbeitslos ≈ ohne Arbeit sein
> *auch:* erfolglos, bargeldlos, kinderlos, kostenlos, ...

b **Wer sagt was? Lesen Sie noch einmal und ergänzen Sie.**

1 _Sandra02_ : „Ich habe zum ersten Mal ein Livespiel gesehen."
2 _____ : „Mein Freund hat mir aus einer schwierigen Lebenssituation geholfen."
3 _____ : „Ein Kinobesuch hat mir klar gemacht, was ich werden will."
4 _____ : „Ich bin mit meiner Freundin ins Ausland gegangen."
5 _____ : „Wir haben einen Sohn bekommen."

> **Plusquamperfekt**
> mit haben + Partizip II
> ... hatte ... gedacht
> mit sein + Partizip II
> ... war ... gewesen

> **Plusquamperfekt**
>
> | davor | früher | heute |
> |---|---|---|
> | Ich hatte nie daran gedacht, im Ausland zu studieren. | Ich habe Klara begleitet.* | Ich arbeite heute bei einer internationalen Firma. |
>
> *auch:* Ich begleitete Klara.

c Welche Sätze in **a** beschreiben die Situation vor den Ereignissen in **b**? Unterstreichen Sie die Sätze im Plusquamperfekt in **a** wie im Beispiel.

d Was passt? Ordnen Sie zu. Zu welchen Texten in **a** passen die Sätze? Schreiben Sie.

davor		danach	
1 Meine Freundin erzählte mir von England.	e	a Ich wurde ein richtiger Fußballfan.	
2 Unser Sohn kam auf die Welt.	☐	b Alles wurde anders.	
3 Mein Freund hat mich zu einem Livespiel mitgenommen.	☐	c Ich hatte wieder Hoffnung.	
4 Ich habe mit meinem Freund Alex gesprochen.	☐	d Mein Berufswunsch war klar.	
5 Ich habe den Film „Pina" gesehen.	☐	e ~~Ich wollte mit ihr mitgehen.~~	

Satz 1e: Text A; Satz 2 ...

e Schreiben Sie die Sätze aus **d** mit *nachdem* wie im Beispiel.

1 Nachdem meine Freundin mir von England erzählt hatte, wollte ich ...

Nachdem ich den Film gesehen hatte, war mein Berufswunsch klar.
davor: Film sehen   danach: Berufswunsch klar sein

AB C2 Veränderungen in unserem Leben

a Welche Folgen hatten die Veränderungen für Frau Sommer (A) und Herrn Schulze (B)? Ordnen Sie die Sätze zu.

1 ~~Wir mussten unseren Hund weggeben.~~
2 Meine Handyrechnung ist gestiegen.
3 Meine Frau hat ihr Auto verkauft.
4 Ich habe weniger Zeit mit meiner Freundin verbracht.
5 Unsere Kinder mussten die Schule wechseln.
6 Wir haben sehr bald eine gemeinsame Wohnung gesucht.

b Schreiben Sie Sätze mit *nachdem* zu den Sätzen in **a**.

1 Nachdem wir vom Land in die Stadt gezogen waren, mussten wir unseren Hund weggeben.
2 Nachdem ...
3 ...

c Denken Sie an Veränderungen in Ihrem Leben oder einer anderen Person. Beschreiben Sie die Folgen für Sie, Ihre Familie oder Ihre Freunde. Schreiben Sie die Sätze auf einen Zettel.

d Die Kursleiterin / Der Kursleiter sammelt alle Zettel ein und teilt sie wieder aus. Suchen Sie die Person im Kurs, die den Zettel geschrieben hat und sprechen Sie über die Situationen.

e Schreiben Sie einen Text über eine der Veränderungen aus **c**. Verwenden Sie auch Sätze mit *nachdem*.

Ich habe Martin kennengelernt.

Frau Sommer

B

Wir sind vom Land in die Stadt gezogen.

Herr Schulze

1,

Ich bin von zu Hause ausgezogen.
Mein Bruder hat mein Zimmer bekommen.
Ich musste eine Arbeit suchen.
...

Wann bist du ...?   Mit 22.
Was ist danach passiert?

GRAMMATIK

Verb

Plusquamperfekt mit *haben*

	haben	Partizip II*
ich	hatte	gesucht, ausgeschlossen, gedacht, akzeptiert, ...
du	hattest	
er/es/sie	hatte	
wir	hatten	
ihr	hattet	
sie/Sie	hatten	

Plusquamperfekt mit *sein*

	sein	Partizip II
ich	war	gelaufen, gezogen, ...
du	warst	
er/es/sie	war	
wir	waren	
ihr	wart	
sie/Sie	waren	

* Partizip II siehe S. 60, 76

Adjektiv

Wortbildung *-los*

• der Erfolg	erfolglos
• das Bargeld	bargeldlos
• die Arbeit	arbeitslos
• die Kinder	kinderlos

manchmal mit *s*

Satz

Satzklammer – Plusquamperfekt

	Position 2		Ende (Partizip II)
Ich	hatte	nie daran	gedacht.
Es	war	ihm	gelungen.

Nebensatz – Konjunktion *nachdem* – temporal

Konjunktion		Satzende	
Nachdem	ich den Film gesehen	hatte,	war mein Berufswunsch klar.
Nachdem	ich den Film gesehen	habe,	ist mein Berufswunsch klar.

Nebensatz – Konjunktion *als* – temporal

Konjunktion		Satzende	
Als	... der Wecker geklingelt	hat,	habe ich ... weitergeschlafen.*
Als	ich zur Schule	ging,	war ich glücklich.**

* Etwas passiert einmal, ein Zeitpunkt in der *Vergangenheit*.
** Etwas passiert eine Zeit lang in der *Vergangenheit*.

Nebensatz – Konjunktion *(immer) wenn* – temporal

Konjunktion		Satzende	
Immer wenn	ich laufen gehen	will,	denke ich an Waltraud.*

* Etwas passiert öfter, in der *Gegenwart* oder in der *Vergangenheit*.

> Nachdem er meine gesehen hatte, wollte er auch eine.

REDEMITTEL

über interessante Personen berichten

Ich habe sie/ihn ... zum ersten Mal gesehen/...
Sie/Er ist/war lustig/sympathisch/ intelligent/...
Sie/Er ist/war ein interessanter/... Mensch.
Sie/Er hat mir gezeigt, wie ...
Sie/Er ist/war jemand, die/der ...
Anfangs mochte ich sie/ihn (gar) nicht, weil ... / Ich mochte sie/ihn sofort.
Sie/Er war ein Vorbild für mich.
Sie/Er hat mir geholfen, wenn ...

biografische Angaben

... wurde 1901/... in Berlin/... geboren.
... kam ... auf die Welt.
... verbrachte die Kindheit/Jugend/... in ...
... studierte ... in ... / lernte ... / machte eine Ausbildung als ... / besuchte eine ...schule.
... hatte die ... Staatsbürgerschaft / nahm die ... Staatsbürgerschaft an.
... heiratete 1902/...
... starb 1955/...

über ein Ereignis berichten

Als ich heute Morgen ...
Als ich dann ...
Als ich zum ersten/... Mal / später /...

sich erinnern

Wenn ich an ... denke / mich an ... erinnere, dann ...
(Immer) wenn ich Klavier spiele /...

ein Experiment beschreiben

Die Versuchspersonen mussten/sollten ...
Das Ergebnis war (nicht) eindeutig.
Das Experiment zeigt, dass ...

Was wäre, wenn ...?

Urlaubsfotos

Actionfilm aus den 90ern

meine Geschwister und ich beim Zelten

Silvester am Meer

Fotos, Filme und Erinnerungen

a Erinnern Sie sich? Denken Sie an private Fotos und Filme oder Szenen aus Spielfilmen, die für Sie wichtig sind. Machen Sie Zeichnungen und/oder Notizen.

1991 mit den Eltern
zum ersten Mal am Meer

15 Jahre alt, mit Lukas
„Titanic"-DVD gesehen, traurig

b Lesen Sie. Was sieht man auf Barbaras Foto? Wie reagierte Barbara auf den Film?

Barbara: Auf meinem Handy habe ich ein Foto aus meiner Kindheit. Auf dem Foto sieht man einen Kinderwagen und meinen Bruder, der neben dem Kinderwagen steht. Mein Bruder war vier Jahre alt, als ich auf die Welt gekommen bin. Später hat er manchmal auf mich aufgepasst, wenn meine Eltern ausgehen wollten. Als ich zehn war, hat er wieder einmal auf mich aufgepasst. Wir haben einen alten Horrorfilm angesehen. Der Film war für mich sehr aufregend und ich konnte danach lange nicht einschlafen.

c Schreiben Sie einen Text mit Ihren Ideen aus a und sprechen Sie mit Ihrer Partnerin / Ihrem Partner.

Auf meinem Handy/Computer / In meiner Brieftasche / ... habe ich ...
Auf meinem Schreibtisch steht ... Auf dem Foto sieht man ...
Als ich ... Immer wenn ich ... Ich habe einen alten Film ...
Als ich ..., habe ich ... gesehen. In dem Film gibt es ... Heute finde ich den Film ...

Auf meinem Handy habe ich ein Foto von ...

Wer hat das Foto gemacht?

SIE LERNEN

– beschreiben, wie man etwas macht
– Filme bewerten
– über irreale Sachverhalte spekulieren
– über den Inhalt eines Filmes sprechen

GRAMMATIK
– Wortbildung – Nomen
– Nebensatz mit *indem*
– Konjunktiv II – irreale Bedingungen
– Wiederholung: Präpositionen; Wechselpräpositionen; Verben mit Präpositionen

WORTSCHATZ
– Tätigkeiten im Alltag

AB **A1 Wer macht im Film die Geräusche?**

a **Was passt? Ordnen Sie zu.**

A

B

1 In der Stummfilmzeit begleitete ein Klavierspieler die Filmaufführungen.
2 Geräuschemacher sind Handwerker. Sie produzieren Filmgeräusche, indem sie mit einfachen Werkzeugen arbeiten.

> stumm + der • Film → der • Stummfilm
> der • Film + die • Aufführung → die • Filmaufführung

▶ 5|6 b **Lesen Sie und hören Sie den Text. Woher kommt die Kunst des Geräuschemachens?**

Filme sieht und hört man …

Der Film war niemals stumm. Schon vor mehr als 100 Jahren, als die Brüder Lumière in Paris ihre Kurzfilme zeigten, wollten die Zuschauer nicht nur Bilder sehen. Man wollte im Kino immer auch etwas
5 hören. Deshalb machten Klavierspieler und manchmal sogar große Orchester den Kinobesuch zu einem Hörerlebnis, indem sie die Filmaufführungen mit ihrer Musik begleiteten.
In den Dreißigerjahren begann eine neue Epoche[1] in
10 der Filmgeschichte: Die ersten Tonfilme[2] kamen in die Kinos. Klavierspieler waren nun nicht mehr nötig, es entstanden[3] neue Filmberufe wie der Toningenieur oder der Geräuschemacher. Toningenieure sind für den Ton eines Filmes verantwortlich[4]. Sie arbeiten
15 meist mit Computern und anderen technischen Geräten im Tonstudio. Geräuschemacher sind Handwerker und Künstler, die Filmgeräusche produzieren, indem sie ganz einfache Werkzeuge verwenden. Wenn ein Film aufgenommen wird, konzentriert sich
20 das Filmteam vor allem auf die Handlung[5] und die Dialoge. Die Nebengeräusche sind noch nicht so wichtig. Wenn man Schritte[6] auf der Straße hört,

wenn ein Glas Wasser auf den Tisch gestellt wird, wenn in der Pfanne Spiegeleier braten oder wenn
25 eine Tür geöffnet wird, dann fehlen diese Geräusche zuerst im Film. Für die Atmosphäre und die Wirkung des fertigen Filmes sind sie aber sehr wichtig. Die Geräusche sind die Aufgabe des Geräuschemachers. Geräuschemacher verlassen sich[7] nicht auf
30 Computer und komplizierte[8] technische Geräte. Sie erledigen ihre Arbeit, indem sie alte Zeitungen, Gegenstände aus Metall, kaputte Tischtennisbälle, alte Schuhe und Kokosnüsse[9] verwenden. Oft arbeiten sie aber auch nur mit ihren Lippen[10] und ihrem Mund.
35 Viele Tricks der Geräuschemacher sind schon Jahrzehnte alt. Jack Foley war in den Dreißigerjahren Hollywoods erster Geräuschemacher. Im amerikanischen Filmgeschäft heißt das Geräuschemachen deshalb auch *the Art of Foley* („Foleys Kunst").
40 Wenn wir im Kino eine wilde[11] Actionszene erleben oder Zeichentrickfiguren sehen, die unmögliche Dinge tun, sollten wir auch auf den Ton achten[12]. Vielleicht ist es möglich, den einen oder anderen Trick der Geräuschemacher zu erraten.

[1] Zeitabschnitt [2] ↔ Stummfilm [3] etw. Neues beginnt [4] die Pflicht haben, etw. zu tun [5] was in einem Film passiert
[6] die Bewegung der Füße beim Gehen [7] glauben an [8] man kann es nicht leicht verstehen [9] ⬭ [10] 👄 [11] nicht ruhig
[12] sich konzentrieren auf etw.

c **Lesen Sie noch einmal. Was passt? Kreuzen Sie an.**

1 In der Stummfilmzeit gab es ☐ Musiker im Kino. ☐ Kurzfilme mit Ton. ☐ Farbfilme.
2 Ab den Dreißigerjahren gab es ☐ Stummfilme. ☐ große Orchester im Kino. ☐ neue Filmberufe.
3 Nebengeräusche werden ☐ bei ☐ nach ☐ vor den Filmaufnahmen aufgenommen.
4 Geräuschemacher arbeiten ☐ meist mit dem Computer. ☐ mit komplizierten Werkzeugen.
☐ auch mit ihrem Körper.
5 Die Tricks der Geräuschemacher ☐ sind manchmal ziemlich alt. ☐ lassen sich nicht erraten.
☐ sind für Actionfilme nicht wichtig.

AB A2 Filmgeräusche

▶ 517 **a** **Was machen die Personen? Lesen Sie die Sätze und ordnen Sie zu. Hören Sie dann und vergleichen Sie.**

A   B   C   D   E   F   G   H

Jemand …

1 ☐ rennt und atmet dabei laut.
2 ☐ wirft Briefe in einen Briefkasten.
3 ☐ zieht Vorhänge zu.
4 ☐ zündet mit dem Feuerzeug eine Zigarette an.

5 ☐ hebt Geld von einem Geldautomaten ab.
6 ☐ föhnt sich die Haare.
7 ☐ schlägt mit dem Hammer Nägel in die Wand.
8 ☐ bläst Kerzen auf einer Geburtstagstorte aus.

▶ 518 **b** **Was passt? Unterstreichen Sie. Hören Sie dann die Filmszenen und schreiben Sie die Sätze mit passenden Wörtern aus a.**

→ Präpositionen, Lektion 7
→ Wechselpräpositionen, Lektion 13

Szene 1: Jemand … zum/nach Postamt, er … laut. Dort … er Briefe in den / im Briefkasten.
Vor das / Vor dem Postamt … er sich dann …

Szene 2: Jemand … sich im/ins Badezimmer die Haare. Dann geht die Person ins/im Schlafzimmer und …
Die Person legt sich ins/im Bett. Doch sie kann nicht schlafen, denn jemand …

Szene 1: Jemand rennt zum Postamt …

c **Partnerarbeit. Decken Sie die Sätze in a ab. Ihre Partnerin / Ihr Partner macht ein Geräusch. Sie nennen den Satz.**

AB A3 (Film)Berufe

▶ 519 **a** **Die Tricks der Geräuschemacher. Wie klingt das wohl? Was glauben Sie? Ordnen Sie zu. Hören Sie dann und vergleichen Sie.**

1 Ein kaputter Tischtennisball, der auf den Boden fällt, klingt wie
2 Plastikfolie, die man mit den Fingern zerdrückt, klingt wie
3 Weintrauben, die man an eine Wand wirft, klingen wie
4 Lederhandschuhe, die man schnell hintereinander gegen eine Wand schlägt, klingen wie
5 Alte Tonbänder, die man mit den Händen zerdrückt, klingen wie

a ein Feuer, das im Kamin brennt.
b ein Ei, das man an der Pfanne aufschlägt.
c ein Vogel, der davonfliegt.
d jemand, der durch hohes Gras geht.
e Regentropfen.

b **Wie arbeiten Geräuschemacher? Schreiben Sie fünf Sätze mit indem mit den Ideen aus a.**

1 Geräuschemacher produzieren Geräusche,
indem sie Tischtennisbälle auf den Boden werfen.
2 Sie machen Geräusche, indem sie …

Nebensatz mit indem
Geräuschemacher produzieren Geräusche,
Wie? indem sie ganz einfache Werkzeuge verwenden.

c **Partnerarbeit. Wie wird das gemacht? Schreiben Sie zwei Fragen mit wie und Antworten auf die Fragen mit indem auf Papierstreifen.**

Wie …? ~~vom Flughafen in die Stadt kommen~~   reiten und springen lernen
Arzt werden   eine günstige Wohnung finden   sich gesund ernähren
schnell eine Fremdsprache lernen   den Weg zum Bahnhof finden
eine Ermäßigung für die Eintrittskarte bekommen   sich gut erholen   …

Wie kommt man am schnellsten vom Flughafen in die Stadt?

Indem man …   den Studentenausweis zeigen   ~~die U-Bahn nehmen~~
einen Intensivkurs besuchen   Reitstunden nehmen   Anzeigen im Internet lesen
Medizin studieren   nach dem Weg fragen   faulenzen   Obst und Gemüse essen   …

Indem man die U-Bahn nimmt.

d **Die Kursleiterin / Der Kursleiter sammelt die Papierstreifen ein und teilt sie wieder aus. Fragen und antworten Sie im Kurs.**

AB **B1 Gute Filme – schlechte Filme**

a **Partnerarbeit. Sprechen Sie über die Fragen.**

1 Science-Fiction-Film   2 Western   3 Horrorfilm   4 Liebesfilm
5 Actionfilm   6 Thriller   7 Dokumentarfilm   8 Komödie

im Kino   zu Hause   im Fernsehen   im Flugzeug   auf dem Handy
auf dem Tablet   am Wochenende   mit Freunden   …

– Welche Filme sehen Sie gern?
– Wo, wann, mit wem und wie sehen Sie gern Filme?

Ich sehe gern …

b **Lesen Sie die Filmkritiken. Zu welchem Filmgenre aus a (1–8) passen die Filme
in den Kritiken (A–D)? Ordnen Sie zu. Achtung, nicht alle Genres passen.**

A **Mit anderen Augen …**

Anika ist attraktiv, erfolgreich und beliebt. Ihre Kollegin Kerstin ist das Gegenteil davon. Ihr Leben ist das reinste[1]
Chaos. „Wenn ich Anika wäre, würde ich alles wieder in den Griff bekommen,“ meint sie. Auf einer Party trifft sie
einen indischen Guru. Und das ändert alles in ihrem Leben, denn als sie am nächsten Morgen in den Spiegel
sieht, sieht sie in das Gesicht ihrer Kollegin Anika …

Witzig und originell – der Filmspaß des Monats! (✳✳✳✳☆☆)

B **Reisefieber**

1   USA, im Jahr 2055. Wenn die Schlafstörungen nicht wären, würde sich Mathias Schrank nach seinem Unfall in
der Chemiefabrik wieder ganz gesund fühlen. Doch dann geschehen[2] merkwürdige[3] Dinge mit ihm. Wenn er sich
in Gedanken auf einen Ort konzentriert, dann befindet[4] er sich wenig später genau an diesem Ort …

Gute Idee, aber viele Längen und teilweise schlechte Schauspielerleistungen (✳✳☆☆☆☆)

C **Die Nacht der Toten**

Ralfs Eltern haben Angst um ihren Sohn. Ralf leidet[5] offenbar[6] an einer schweren psychischen Krankheit.
Er spricht mit Personen, die nicht existieren, mit Personen, die schon lange tot sind …

Komplizierte, unklare Handlung, aber spannend[7] und ein Muss für Horrorfans (✳✳✳✳☆☆)

D **Rosen[8] im September**

Jonas hat die Liebe seines Lebens gefunden. Er hat Marika auf einer Party kennengelernt und kann sie nicht
mehr vergessen. Doch Marika hat Zweifel[9]. Wenn Jonas älter wäre, hätte sie mit ihrer Beziehung kein Problem,
aber so … Schließlich ist er dreißig Jahre jünger als sie …

Romantik pur – Kandidat für den Film des Jahres (✳✳✳✳✳)

[1] sauber, hier: nichts anderes als   [2] passieren   [3] nicht normal   [4] an einem Ort sein   [5] hier: krank sein
[6] es sieht so aus   [7] aufregend   [8]   [9] nicht sicher sein; (zweifeln)

c **Welche Sätze passen zu welchen Filmen in b? Ordnen Sie zu.**

1   Der Film war wirklich komisch, wir waren begeistert.   A
2   Die Handlung war unlogisch, aber das war uns egal. Der Film war spannend.   ___
3   Die Geschichte war sehr romantisch, aber das Ende war etwas sentimental.   ___
4   Der Film war prima, wir haben so gelacht.   ___
5   Die Handlung war originell, aber die Schauspieler waren schwach.   ___
6   Ich mag eigentlich keine Liebesfilme, aber dieser war ausgezeichnet.   ___

d **Partnerarbeit. Sie haben einen Film aus b gesehen. Erzählen Sie von dem Film und sagen Sie,
wie er Ihnen gefallen hat. Ihr Partner / Ihre Partnerin nennt den Titel.**

Der Film spielt in …
In dem Film geht es um … / Der Film handelt von …
Die Handlung ist spannend/witzig/…

AB **B2 Wenn der Film besser wäre, …**

a **Wie ist die Realität? Kreuzen Sie an.**

1 Spekulation: Wenn Kerstin Anika wäre, würde sie ihr Leben wieder in den Griff bekommen.
   a ☐ Realität: Kerstin ist wie Anika. Sie bekommt ihr Leben in den Griff.
   b ☐ Realität: Kerstin ist nicht wie Anika. Sie bekommt ihr Leben nicht in den Griff.

2 Spekulation: Wenn Jonas älter wäre, hätte Marika mit ihrer Beziehung kein Problem.
   a ☐ Realität: Jonas ist alt genug. Marika hat kein Problem mit ihrer Beziehung.
   b ☐ Realität: Jonas ist ziemlich jung. Marika hat ein Problem mit ihrer Beziehung.

b **Was passt? Kreuzen Sie an.**

> **Konjunktiv II – irreale Bedingungen**
> Spekulation (= nicht real):
> Wenn die Schlafstörungen nicht
> wären, würde sich Mathias
> Schrank … gesund fühlen.
> Realität:
> Mathias Schrank hat Schlaf-
> störungen, er fühlt sich nicht
> gesund.

1 *Mit anderen Augen:* Wenn der Film nicht so witzig wäre, würde er
   ☐ bessere ☐ schlechtere Kritiken bekommen.

2 *Reisefieber:* Wenn die Schauspieler besser wären, würde der Film
   ☐ bessere ☐ schlechtere Kritiken bekommen.

3 *Die Nacht der Toten:* Wenn die Handlung einfacher wäre, würde der Film
   ☐ bessere ☐ schlechtere Kritiken bekommen.

4 *Rosen im September:* Wenn der Film langweilig wäre, würde er
   ☐ bessere ☐ schlechtere Kritiken bekommen.

c **Finden Sie weitere Sätze mit *wenn* zu den Filmen in 1b.**
Wie viele Sätze können Sie in fünf Minuten schreiben?

> sich für … interessieren   mehr Zeit haben   mit … ins Kino gehen   (Jonny Depp) … in dem Film mitspielen
> die Kinokarten billiger sein   nicht so lange dauern   mehr Sterne haben   bessere Kritiken haben   …

Wenn ich mich für Liebesfilme interessieren würde, würde ich vielleicht „Rosen im September" ansehen.

AB **B3 Wenn das möglich wäre, …**

▶ 5|10 a **Hören Sie und beantworten Sie die Fragen.**

1 Über welchen Film aus 1b spricht Dirk?
2 Wie findet Dirk den Film?

▶ 5|10 b **Wie ist die Realität? Hören Sie noch einmal und ordnen Sie die**
***wenn*-Sätze aus dem Hörtext (a–d) zu.**

Regina, Dirk

Realität

1 Es regnet am Montag nicht.	b
2 Dirk mag keine Science-Fiction-Filme.	☐
3 Es ist nicht möglich, nur durch Gedanken an Orte zu reisen.	☐
4 Regina und Dirk sind nicht in Spanien.	☐

Spekulation

a Wenn wir in Spanien wären, hätten wir besseres Wetter.
b ~~Wenn es heute regnen würde, hätte ich nichts dagegen.~~
c Es wäre cool, wenn das wirklich möglich wäre.
d Wenn ich mich für Science-Fiction interessieren könnte, würde ich Karos Videos vielleicht ganz gut finden.

c **Was würdest du tun, wenn …? Ergänzen Sie. Schreiben Sie dann drei neue Fragen und Antworten.**

1 Was (tun) __würdest__ du _____, wenn du einen Tag lang unsichtbar (sein) _____?
2 Wen (heiraten) _____ du_____, wenn du jeden Menschen auf der Welt (heiraten können) _____ _____?
3 Wo (leben) _____ du _____, wenn du in einem anderen Land (leben können) _____ _____?
4 Was (sagen) _____ du _____, wenn dir alle Menschen auf der Welt eine Minute lang (zuhören) _____ _____?

d **Partnerarbeit. Stellen Sie die Fragen aus c und antworten Sie.**

> *Was würdest du …?*
> *Ich würde …*

AB **C1** **Der Heimatfilm in den deutschsprachigen Ländern**

a **Lesen Sie den Text. Was will die Journalistin im Interview wissen? Schreiben Sie.**

Ist der Heimatfilm tot?

Die USA feiern den Western, Indien hat Bollywood, und die deutschsprachigen Länder hatten den Heimatfilm. Wann wurde der Heimatfilm populär[1]? Was war das Rezept[2] für den klassischen Heimatfilm? Und welche Bedeutung hat der Heimatfilm heute noch? Diese Fragen hat uns die Medienexpertin Elisabeth Krüger im Interview beantwortet.

Die Journalistin
will wissen, wann ...
Sie fragt, ...

[1] beliebt   [2] die Beschreibung, wie etw. gekocht (hier: gemacht) wird

b **Lesen Sie die Aufgaben zum Interview. Was glauben Sie? Welche Antworten sind richtig? Unterstreichen Sie.**

1 Die beste Zeit für den Heimatfilm
☐ <u>waren die 50er-Jahre.</u>
☐ waren die 30er-Jahre.
☐ war die Zeit nach dem Ersten Weltkrieg.

2 Die Kinobesucher sollten
☐ das Leben auf dem Land kennenlernen.
☐ den eigenen Alltag vergessen.
☐ die Probleme der Bauern verstehen.

3 Im Heimatfilm
☐ gab es eine einfache Geschichte.
☐ sah man oft Sehenswürdigkeiten.
☐ gab es eine gute Filmmusik.

4 Die „Guten" im Heimatfilm
☐ kommen aus der Stadt.
☐ wohnen meist auf dem Land.
☐ fahren schnelle Autos und rauchen.

5 Im Heimatfilm gibt es immer
☐ ein gutes Ende.
☐ ein Liebespaar.
☐ einen Streit zwischen Alt und Jung.

6 Heute gibt es
☐ viele Heimatfilme im Kino.
☐ immer mehr kritische Heimatfilme.
☐ den Heimatfilm überhaupt nicht mehr.

▶ 5|11 c **Hören Sie das Interview und kreuzen Sie die richtigen Antworten in b an.**

AB **C2** **Der traditionelle und der kritische Heimatfilm**

a **Lesen Sie den Inhalt von *Heidi* (A), Ihre Partnerin / Ihr Partner liest den Inhalt der *Piefke-Saga* (B).**

Ⓐ *Der traditionelle Heimatfilm: Heidi*

Heidi lebt bei ihrem Großvater, dem „Alm-Öhi", auf einem Bauernhof in den Schweizer Bergen. Heidis Vater ist bei einem Brand[1] im Dorf gestorben, und auch ihre Mutter ist schon lange tot. Eigentlich sollte ihre Tante Dete für Heidi sorgen[2]. Sie hat aber eine Stelle in Frankfurt angenommen und Heidi bei ihrem Großvater zurückgelassen. Seit
5 dem Brand will Heidis Großvater von den Menschen unten im Dorf nichts wissen[3], denn er denkt, dass sie am Tod von Heidis Vater schuld[4] sind. Er bleibt lieber in den Bergen. Auch Heidi ist in den Bergen bei ihrem Großvater glücklich.
Einige Jahre später kommt Tante Dete zurück. Sie nimmt Heidi heimlich[5], gegen den Willen des Großvaters, nach Frankfurt mit. Tante Detes Chef hat eine behinderte[6]
10 Tochter, Klara. Heidi soll mit ihr spielen und sie unterhalten. Schnell werden die beiden Mädchen Freundinnen, doch Heidi vermisst[7] die Schweizer Berge. Sie kann sich an das Leben in der Stadt nicht gewöhnen[8]. Sie leidet an Heimweh und wird schließlich krank. Der Hausarzt der Familie gibt den Rat[9], Heidi wieder zu ihrem Großvater zu schicken. Klara soll sie im Sommer besuchen.
15 Glücklich fällt Heidi ihrem Großvater in die Arme. Der Großvater hat inzwischen[10] den Streit mit den Leuten im Dorf beendet. Gemeinsam mit den Dorfbewohnern[11] bereiten Heidi und ihr Großvater sich auf den Besuch von Klara vor.

Buch von Johanna Spyri
1827–1901, verfilmt 1952,
Schweiz

[1]   [2] sich um jmdn. kümmern   [3] keinen Kontakt wollen   [4] verantwortlich sein für etw. Negatives
[5] andere sollen es nicht bemerken   [6] ein schweres Gesundheitsproblem haben   [7] hier: traurig sein, weil etw. nicht da ist
[8] etw. wird normal für jmdn.   [9] ein Vorschlag   [10] in der Zeit   [11] Leute im Dorf

B   *Der kritische Heimatfilm: Die Piefke¹-Saga (Teil 1)*

Der Film spielt in einem Bergdorf in Österreich. Der Hamburger Geschäftsmann
Karl Friedrich Sattmann macht dort mit seiner Familie regelmäßig Urlaub. In einer
österreichischen Zeitung erscheint² unter dem Titel „Wer braucht die Piefkes?" ein
kritischer Artikel³ über die deutschen Gäste. Zu viele deutsche Touristen sind gar
5   nicht gut für das Land, meint darin der Journalist. Karl Friedrich Sattmann ärgert
sich sehr darüber. Er verlässt mit seiner Familie das bequeme⁴ Hotel im Dorf und
zieht in einen Bauernhof hoch in den Bergen. Dort gibt es kein Wasser und keinen
elektrischen⁵ Strom, doch die Sattmanns hoffen auf einen freundlichen Empfang⁶
und mehr Respekt als im Tal. Karl Friedrich Sattmann will nun die anderen deut-
10   schen Touristen im Dorf davon überzeugen, abzureisen. Deshalb organisiert er eine
Veranstaltung auf dem Dorfplatz. Doch die Dorfbewohner stören Sattmanns Pläne,
indem sie mit ihrer Musikkapelle bei der Veranstaltung auftauchen. Dort werben
sie um die deutschen Gäste. Beide Seiten sind sich schnell einig⁷: Der Journalist
der Wochenzeitung ist schuld an dem Streit. Er muss schließlich vor dem Zorn⁸ der
15   Touristen und Dorfbewohner zurück in die Stadt fliehen⁹.

Fernsehfilm in vier Teilen
von Felix Mitterer (1948),
1990/1993, Österreich,
2009 als Buch erschienen

¹ negatives Wort für die Deutschen in Österreich   ² etw. wird veröffentlicht   ³ Zeitungstext   ⁴ man fühlt sich dort wohl   ⁵
⁶ wenn etw. oder jmd. ankommt   ⁷ dieselbe Meinung haben   ⁸ wenn jmd. wütend ist   ⁹ weglaufen, weil man Angst hat

b   Partnerarbeit. Stellen Sie Ihrer Partnerin / Ihrem Partner die Fragen zu ihrem/seinem Film.
Beantworten Sie die Fragen zu Ihrem Film.

Heidi
1   Wer ist Heidi und wo lebt sie?
2   Was ist mit Heidis Eltern geschehen?
3   Wer ist Tante Dete? Warum holt sie Heidi nach Frankfurt?
4   Warum wird Heidi krank?
5   Wie soll Heidi wieder gesund werden?

Wo spielt der Film ...?

Die Piefke-Saga
1   Wo spielt der Film?
2   Woher kommt die Familie Sattmann und wo verbringt sie ihren Urlaub?
3   Warum verlässt die Familie Sattmann ihr bequemes Hotel im Dorf?
4   Wo verbringt die Familie den Rest ihres Urlaubs?
5   Wie beenden die Dorfbewohner und die Familie Sattmann ihren Streit?

Der Film spielt in ...

c   Suchen Sie die Verben in den Texten in a. Finden Sie die Präpositionen
und schreiben Sie Fragen wie im Beispiel.

→ Verben mit Präpositionen, Lektion 17

Heidi
sorgen (Zeile 3)   für + Akk. — Für wen sollte Tante Dete sorgen?
spielen (Zeile 10)   _____
sich gewöhnen (Zeile 11–12) _____
leiden (Zeile 12)   _____
sich vorbereiten (Zeile 17) _____

Die Piefke-Saga
sich ärgern (Zeile 5–6)   über + Akk. — Worüber ...?
hoffen (Zeile 8)   _____
überzeugen (Zeile 10)   _____
schuld sein (Zeile 14)   _____
fliehen (Zeile 14–15)   _____

d   Partnerarbeit. Stellen Sie die Fragen aus c und antworten Sie.

*Für wen sollte
Tante Dete sorgen?*   *Für ...*

e   Gibt es typische Filme für Ihr Heimatland?
Gibt es Heimatfilme? Sprechen Sie.

GRAMMATIK

Nomen

Wortbildung – Adjektiv + Nomen

Adjektiv (Bestimmungswort)	+	Nomen (Grundwort)	→	zusammengesetztes Nomen
stumm	+	• der Film	→	• der Stummfilm

Wortbildung – Nomen + Nomen

Nomen (Bestimmungswort)	+	Nomen (Grundwort)	→	zusammengesetztes Nomen
• der Ton	+	• der Film	→	• der Tonfilm
• der Film	+	• das Geräusch	→	• das Filmgeräusch
• der Film	+	• die Aufführung	→	• die Filmaufführung
• die Geräusche	+	• der Macher	→	• der Geräuschemacher

Verb

Konjunktiv II

	werden + Infinitiv	
ich	würde	
du	würdest	
er/es/sie	würde	machen/...
wir	würden	
ihr	würdet	
sie/Sie	würde	

Konjunktiv II – besondere Verben

	haben	sein	können	dürfen	müssen	wollen
ich	hätte	wäre	könnte	dürfte	müsste	wollte
du	hättest	wär(e)st	könntest	dürftest	müsstest	wolltest
er/es/sie	hätte	wäre	könnte	dürfte	müsste	wollte
wir	hätten	wären	könnten	dürften	müssten	wollten
ihr	hättet	wär(e)t	könntet	dürftet	müsstet	wolltet
sie/Sie	hätten	wären	könnten	dürften	müssten	wollten

Satz

Nebensatz – Konjunktion *indem* – modal *(wie?)*

	Konjunktion		Satzende
Geräuschemacher produzieren Geräusche,	[Wie?] indem	sie ganz einfache Werkzeuge	verwenden.

Nebensatz – Konjunktion *wenn* – irreale Bedingungen

	Konjunktion	Satzende	
Was würdest du tun,	wenn	der Film besser wäre?	
	Wenn	der Film besser wäre,	würde ich ihn ansehen.

Realität: Der Film ist schlecht, ich sehe ihn nicht an.

((REDEMITTEL

beschreiben, wie man etwas macht

Wie kommt man am schnellsten zum Flughafen?
Indem man die U-Bahn nimmt.
Wie ernährt man sich am besten gesund?
Indem man Obst und Gemüse isst.

Fragen zum Inhalt (Film)

Wo spielt der Film ...?
Woher kommt ...?
Wer ist ... und wo lebt sie/er?
Was ist mit ihren ... passiert?
Wie endet der Film?

einen Inhalt erzählen (Film)

Der Film spielt in ...
In dem Film geht es um ...
Der Film handelt von ...
Die Hauptperson/en ...
Doch dann geschehen merkwürdige Dinge/...

über irreale Bedingungen sprechen

Wenn es heute regnen/... würde, hätte ich nichts dagegen.
Was würdest du tun, wenn ...?
Was würdest du dir wünschen, wenn ...?

einen Film bewerten

Ich war begeistert/...
Die Handlung war originell/...
Der Film war ausgezeichnet/...
Die Schauspieler waren schwach/...
Der Film war wirklich komisch/...
Das Ende war sentimental/...
Die Handlung war unlogisch/...

Wozu brauchst du das?

● Tante-Emma-Laden

● Konsum

● Flohmarkt

● Werbung

● Boutique

Einkaufen

a Was, wo, wie und wann kaufen Sie ein? Kreuzen Sie an und machen Sie Notizen.

Was?   [X] Bücher ☐ CDs ☐ Kleidung ☐ Kosmetik ☐ Möbel ☐ …
Wo?   ☐ Supermarkt ☐ Einkaufszentrum ☐ Markt ☐ Internet ☐ …
Wie?   ☐ mit Freunden ☐ allein ☐ mit der Familie [X] mit Susanne …
Wann? ☐ am Wochenende ☐ nach der Arbeit ☐ in der Mittagspause ☐ …

b Was würden Sie kaufen, wenn Geld keine Rolle spielen würde? Notieren Sie.

Designerkleidung, …

c Lesen Sie. Was hat Marcel in **a** angekreuzt, welche Notizen hat er gemacht?

Marcel: Eigentlich kaufe ich nicht gern ein. Kleidergeschäfte interessieren mich überhaupt nicht. Ich trage lieber meine alten Sachen. Natürlich muss ich Lebensmittel einkaufen. Da gehe ich zwei- oder dreimal in der Woche in den Supermarkt. Aber auch das vergesse ich manchmal. Dann muss ich am Sonntag an der Tankstelle einkaufen, und dort ist es natürlich viel teurer. Bücher und CDs kaufe ich im Internet. Das ist praktischer und geht schneller. Wenn ich viel Geld hätte, würde ich mir Designermöbel und einen riesigen Fernsehapparat kaufen. Wahrscheinlich würde ich dann auch eine große Dachwohnung in der Altstadt kaufen.

d Schreiben Sie einen Text mit Ihren Ideen aus **a** und **b** und sprechen Sie mit Ihrer Partnerin / Ihrem Partner.

Eigentlich kaufe ich gern / nicht gern … ein. … kaufe ich in / im / bei …
… interessiert / interessieren mich sehr / nicht.
Wenn ich viel Geld hätte, … Dann würde / hätte / wäre ich auch …

Bücher kaufe ich gern auf dem Flohmarkt.

Würdest du …?

AB A1 Von Minimalisten und Schnäppchenjägern

a Alexander geht nicht gern einkaufen, Kerstin liebt ihre Shoppingtouren. Was glauben Sie? Wer sagt was? Ordnen Sie zu: Alexander (A) oder Kerstin (K).

1 ☐ „Ich besitze nur wenige Sachen."
2 ☐ „Ich erhole mich beim Einkaufen vom Bürostress."
3 ☐ „Ich will nicht von Dingen abhängig werden."
4 ☐ „Ein minimalistisches Leben kann Stress reduzieren."
5 ☐ „Wenn ich einkaufe, brauchen meine Freunde viel Geduld."
6 ☐ „Mit ein paar Überstunden kann ich mein Konto wieder in Ordnung bringen."

▶ 5 | 12, 13 **b** Lesen Sie und hören Sie die Texte und vergleichen Sie Ihre Antworten aus a.
Wie sehen die Wohnungen von Alexander und Kerstin aus?

Der Minimalist

Alexander Buchleitner besitzt 200 Dinge, nicht mehr. „Es ist nicht einfach, Alexander etwas zu schenken", erzählen seine Freunde. „Man ist schon ein bisschen enttäuscht[1], wenn die Geschenke nach kurzer Zeit
5 im Müll landen."
Alexander ist Minimalist. Er versucht, sich nur auf die wichtigsten Dinge in seinem Leben zu konzentrieren. <u>Von den meisten Gegenständen in seiner Wohnung hat er sich getrennt[2], um nicht von ihnen „abhängig"</u>
10 <u>zu werden.</u> Zeitungen, Illustrierte[3] und alte Ordner[4] kommen sofort ins Altpapier, und auch seine Bücher hat er alle gespendet. Immer wenn Alexander einen neuen Gegenstand kauft, muss ein alter weg. Alexander ist nicht allein. Weltweit gibt es immer
15 mehr Menschen, die sich von ihren persönlichen Dingen trennen, um ihr Leben „minimalistisch" zu leben. 20 Prozent in unserer Gesellschaft[5] leiden unter Stress am Arbeitsplatz. Ein minimalistisches Leben kann diesen Druck reduzieren und das Leben
20 erleichtern[6]. Und Alexander sieht noch einen Vorteil[7]: „Viele Leute, die in meine Wohnung kommen, loben[8] mein Zuhause. ‚Bei dir sieht es aber ordentlich[9] aus', sagen sie."

Die Schnäppchenjägerin

Fast jeden Tag ist Kerstin Posch im Internet, um
25 ihren Freunden von ihren Einkäufen zu erzählen. „Ich bin so glücklich über meine neuen Sachen, das muss ich mit jemandem teilen", meint sie. Das Einkaufszentrum in ihrer Nähe ist ihr zweites Zuhause. „Ich brauche meine Shoppingtour, um
30 mich vom Bürostress zu erholen. Ich liebe es, durch die Geschäfte zu gehen, elegante[10] Kleider oder schicke[11] Schuhe anzuprobieren und nach Sonderangeboten zu suchen. Irgendetwas gefällt mir immer, und das muss ich dann auch haben."
35 Auch im Urlaub ist Shopping sehr wichtig für Kerstin. „Mein Freund hat nicht sehr viel Geduld. Er sucht sich dann oft andere Beschäftigungen, um nicht mitgehen zu müssen. Wenn wir abreisen, brauche ich meistens einen zweiten Koffer, um meine neuen
40 Sachen nach Hause zu transportieren[12]." In Kerstins Wohnung gibt es kaum Platz für neue Dinge. „Ich kann mich schwer von Sachen trennen", sagt sie. In den letzten Monaten hatte Kerstin auch zwei- oder dreimal Probleme mit ihrer Bank. Ihr Konto
45 war im Minus. „Das stört mich nicht. Ich habe ein gutes Gehalt. Gewöhnlich[13] mache ich dann ein paar Überstunden, um mein Konto wieder in Ordnung zu bringen. Das hat bis jetzt immer funktioniert."

[1] traurig sein, weil etw. anders als erwartet ist   [2] hier: nicht behalten   [3] eine Zeitschrift mit vielen Bildern   [4]
[5] alle Menschen, die zusammen in einem sozialen System (z. B. Staat) leben   [6] leichter machen
[7] etw., das für jmdn. gut ist   [8] sagen, dass jmd. etw. gut gemacht hat   [9] aufgeräumt, kein Chaos
[10] modern, mit viel Geschmack   [11] hübsch   [12] von einem Platz zu einem anderen bringen   [13] so wie immer

c Lesen Sie noch einmal. Was passt? Ordnen Sie zu und ergänzen Sie die Namen und die Pronomen.

1 __Alexander__ s Freunde | weil sie zu wenig Geld | mit (ihm/ihr) _____ einkaufen.
2 _____ s Freund | gibt es wenig Platz | (~~ihm~~/ihr) __ihm__ etwas zu schenken.
3 Wenn _____ etwas Neues | kauft, wirft er | auf dem Konto hatte.
4 In _____ s Wohnung | geht nicht gern | ein altes Ding weg.
5 Es gibt | finden es schwierig, | wie _____ leben.
6 _____ hatte Probleme, | immer mehr Menschen, die | für neue Sachen.

d Minimalistisch leben wie Alexander. Welche Dinge wollen Sie unbedingt selbst besitzen (X), welche Dinge würden Sie auch mieten oder leihen (/)? Ergänzen Sie und kreuzen Sie an. Schreiben Sie weitere Dinge auf.

→ Adjektivdeklination, Lektionen 15 + 17

1 ☐ ein eigen_es_ Fahrrad
2 ☐ eine eigen_e_ Wohnung
3 ☐ eigen___ Kleidungsstücke
4 ☐ ein eigen___ Auto
5 ☐ eigen___ Möbel

6 ☐ ein eigen___ Haus
7 ☐ eine eigen___ Zahnbürste
8 ☐ eigen___ Bücher
9 ☐ ein eigen___ Handy
10 ☐ einen eigen___ Fernseher

11 ☐ eine eigen___ Musikanlage
        mit gut___ Lautsprecherboxen
12 ☐ einen eigen___ Computer
13 ☐ ein eigen___ Bett
   ☐ ...

e Partnerarbeit. Vergleichen Sie Ihre Listen und finden Sie Gemeinsamkeiten.

Brauchst du ein eigenes Fahrrad?

Ja, ein eigenes Fahrrad brauche ich unbedingt. Und du?

AB **A2 Was ist für uns wichtig ... und warum?**

a Was ist für Alexander und Kerstin wichtig? Schreiben Sie Sätze wie im Beispiel.

→ Infinitivsätze, Lektion 17

~~sich auf die wichtigsten Dinge konzentrieren~~   elegante Kleider anprobieren   im Urlaub einkaufen gehen
den Arbeitsstress reduzieren   jemandem von den Einkäufen erzählen   alte Dinge wegwerfen   ...

Alexander/Kerstin findet es wichtig/schön/gut/richtig, ...

Alexander findet es wichtig, sich auf die wichtigsten Dinge zu konzentrieren.

b Warum machen sie das? Unterstreichen Sie in 1b die sieben Sätze mit *um ... zu*.
Schreiben Sie Sätze mit *weil* wie im Beispiel.

1 ..., weil er nicht von ihnen „abhängig" werden will. 2 ...

Von den meisten Gegenständen in seiner Wohnung hat er sich getrennt, um nicht von ihnen „abhängig" zu werden.

(≈ ..., weil er nicht von ihnen „abhängig" werden will.)

c Was tun die Personen, um ... ? Schreiben Sie Sätze mit *um ... zu*. Schreiben Sie jede Satzhälfte auf einen Papierstreifen wie im Beispiel. Finden Sie auch eigene Sätze?

~~Frau König / aufs Amt gehen – Visum beantragen~~
Anton / in den Hof gehen – Abfalleimer ausleeren
Frau Jovic / eine Homepage machen – ihre Firma bekannter machen
Selina / Torte backen – ihrer Tante zum Geburtstag eine Freude machen
Anna und Kerstin / in die Bibliothek gehen – Referat vorbereiten
Juana / in der Mensa essen – nicht selbst kochen müssen
Herr Konrad / sein Auto in die Werkstatt bringen – Bremsen reparieren lassen
Jakob / in Zukunft auf Fleisch verzichten wollen – etwas für die Umwelt tun
Sabine / Urlaub machen – sich ausruhen   ...

Frau König geht aufs Amt,

um ein Visum zu beantragen.

Anton geht ...

d Die Kursleiterin / Der Kursleiter sammelt alle Papierstreifen ein und teilt sie wieder aus.
Jede/Jeder bekommt mindestens eine Satzhälfte. Lesen Sie die Satzanfänge vor.
Die Person mit dem richtigen Ende ergänzt den Satz.

e Wie viele Sätze haben Sie sich gemerkt? Wer kann in fünf Minuten die meisten Sätze notieren?

B

B1 Nach dem Einkauf

▶ 5|14 **a** Hören Sie und ergänzen Sie. Achtung, nicht alle Ausdrücke passen.

die Bedienungsanleitung fehlt   die Bedienungsanleitung hat gefehlt
mit Freunden Musik machen   mit Freunden Musik zu machen
mit Freunden Musik gemacht   ~~Klavier~~

- Ich habe im Internet ein elektronisches _Klavier_ gekauft,
  um _____ .
- Und? Bist du zufrieden?
- Nein, _____ .
- Dann solltest du dich beschweren.

b Partnerarbeit. Ordnen Sie zu und sprechen Sie wie in **a**.

1 Kamera	Fußball-WM sehen	einen Fleck haben
2 Fahrradtasche	kochen lernen	• Griff sofort kaputt gegangen
3 ein teures Kleid	bei der Hochzeit gut aussehen	Bilder zu dunkel werden
4 Kochbuch	Einkäufe transportieren	• Sendersuchlauf nicht funktionieren
5 Fernseher	gute Fotos machen	Rezepte sehr kompliziert sein

c Denken Sie an sich, Ihre Verwandten oder Bekannten. Wer musste sich nach einem Einkauf beschweren? Warum?
Schreiben Sie Sätze und sprechen Sie im Kurs.

Mein Freund hat im Internet ... bestellt (, um ... zu ...). Aber ...

AB B2 Der neue Fernseher

▶ 5|15 **a** Hören Sie und beantworten Sie die Fragen.

1 Warum glaubt Herr Neuhold, dass der Fernseher nicht funktioniert?
2 Welchen Rat gibt die Verkäuferin?
3 Was möchte Herr Neuhold vom Serviceteam der Firma?
4 Wie reagiert die Verkäuferin?
5 Wann soll das Serviceteam der Firma kommen?

▶ 5|15 **b** Hören Sie noch einmal. Was passt? Ordnen Sie zu.
Wer spricht: Herr Neuhold (N) oder Sabine Krüger (K)?

1 _K_ : Sie müssen den Sendersuchlauf aktivieren,
2 ____ : Unser Serviceteam stellt den Fernseher
           für Sie auf,
3 ____ : Ihr Serviceteam soll den Fernseher abholen,
4 ____ : Ich packe den Fernseher ein,
5 ____ : Ich schicke Ihnen das Team,

a damit ich einen anderen Apparat bekomme.
b damit Sie ihn sofort mitnehmen können.
c damit Sie sehen, dass Ihr Fernseher ganz
   problemlos funktioniert.
d damit Sie das nicht selbst machen müssen.
e damit der Apparat Fernsehprogramme zeigen kann.

> Subjekt 1 Ich habe einen Fernseher gekauft, damit Subjekt 2 ich wieder meine Lieblingsserie sehen kann.
> Subjekt 1 Ich habe einen Fernseher gekauft, um wieder meine Lieblingsserie sehen zu können.
> Subjekt 1 = Subjekt 2: damit oder um ... zu
>
> Subjekt 1 Ich habe einen Fernseher gekauft, damit Subjekt 2 meine Frau wieder ihre Lieblingsserie sehen kann.
> Subjekt 1 ≠ Subjekt 2: nur damit

c Welche Lösung könnte es für Herrn Neuholds Problem geben?
Sammeln Sie möglichst viele Ideen im Kurs und sprechen Sie.

einen neuen Fernseher / bekommen   der Fernseher / abgeholt werden
Fernseher umtauschen   den Fernseher / vom Serviceteam aufstellen lassen
Geld / zurück bekommen   ...

*Am Nachmittag kommt
das Serviceteam zu Herrn
Neuhold. Er hat ...*

d Service ist unser Erfolg! Was passt? Ordnen Sie zu und schreiben Sie Sätze mit *damit*.

> nicht hungrig ins Bett gehen müssen   sich im Urlaub wohlfühlen   ruhig schlafen können
> mehr Platz in Ihrem Bücherregal haben   schneller von A nach B kommen

1 Ingenieur Schober (Firma PROBAU): Wir bauen Straßen und Brücken, ___damit sie ..._____.
2 Frau König (Wirtin): Wir kochen für Sie bis 24:00 Uhr, ___damit_____.
3 Herr Holzer (Altwarenhändler): Wir kaufen Ihre alten Bücher, _____.
4 Jasmin Michels (Reiseführerin): Wir testen alle unsere Reiseziele, _____.
5 Egon Brunner (Polizist): Wir sind 24 Stunden im Dienst, _____.

e Partnerarbeit. Schreiben Sie Sätze für andere Berufsgruppen und Firmen wie in **d**.
Lesen Sie Ihre Sätze vor, Ihre Partnerin / Ihr Partner errät die Berufsgruppe.

> mit dem Team nach neuen Erkenntnissen trainieren – Sie es im Stadion gewinnen sehen
> auch in Fernsehserien mitspielen – Sie mich nicht nur im Theater sehen können
> auf Konzerttournee gehen – Sie Ihre Lieblingslieder live hören können
> ~~moderne Unterrichtsmethoden einsetzen~~ – die Kinder schnell und mühelos lernen
> Tag und Nacht arbeiten – ...   mit modernen Reisebussen fahren – ...

Ich setze ...

Ich glaube, das ist der Lehrer.

Lehrer: Ich setze moderne Unterrichtsmethoden ein, damit ...

Musiker: ...   Schauspieler: ...   Fußballtrainer: ...

Krankenschwester: ...   Busunternehmer: ...   ...

AB B3 Da muss ich mich beschweren ...

a Lesen Sie die Redemittel (1–9). Wer sagt was? Ordnen Sie zu.

Der Kunde / Käufer

beschwert sich: _____
ärgert sich: __1__
bittet um Hilfe: _____
fordert etwas: _____

Der Verkäufer

entschuldigt sich: _____
zeigt Verständnis: _____
gibt Ratschläge: _____
kann helfen: __5__
kann nicht helfen: _____

1 Das geht doch nicht! Das hat mich sehr enttäuscht.
2 Ich kann verstehen, dass Sie sich ärgern.
3 Es tut mir schrecklich leid.
4 Ich kann leider nicht weiterhelfen. Wenden Sie sich bitte an ...
5 Beruhigen Sie sich doch bitte.
   Das ist wirklich sehr ärgerlich, aber wir finden sicher eine Lösung. Ich kümmere mich persönlich darum.
6 Ich erwarte, dass ...
7 Ich muss mich leider bei Ihnen beschweren.
8 An Ihrer Stelle würde ich ...
9 Könnten Sie bitte ...?

b Partnerarbeit. Lesen Sie die Rollenkarten und wählen Sie eine Situation (1 oder 2) und eine Rolle (A oder B) aus.
Bereiten Sie Ihre Rolle vor, sammeln Sie Ideen und machen Sie Notizen.

Situation 1: In der Reinigung

A
Sie haben Ihre Hose oder Ihr Kleid beschädigt aus der Reinigung zurückbekommen. Sie möchten, dass die Reinigung das Kleidungsstück ersetzt[1].

B
Sie arbeiten in einer Reinigung. Ein Kunde beschwert sich über ein beschädigtes Kleidungsstück. Sie erklären, dass die Reinigungsfirma an dem Schaden[2] nicht schuld ist.

Situation 2: Im Reisebüro

A
Sie waren mit Ihrem Urlaub nicht zufrieden. Das Hotel war sehr schlecht und sehr weit vom Strand entfernt. Sie möchten, dass das Reisebüro alle Kosten für den Urlaub ersetzt.

B
Sie arbeiten in einem Reisebüro. Ein Kunde beschwert sich über eine Urlaubsreise. Sie haben Verständnis, aber Sie können dem Kunden nur einen Gutschein anbieten.

[1] hier: ein neues Kleidungsstück kaufen oder Geld dafür bezahlen   [2] wenn etwas kaputt ist

c Spielen Sie das Rollenspiel.

C

AB C1 Werbung

a Partnerarbeit. Sprechen Sie über die Fragen und berichten Sie dann in der Gruppe.

1 Haben Sie auf dem Weg zum Kurs Plakatwände oder Reklametafeln gesehen? Haben Sie sie beachtet? An welche Werbebotschaften können Sie sich erinnern?

Ich habe … gesehen.
Das war Werbung für …

2 Welche Werbespots im Fernsehen, Radio oder Internet finden Sie besonders auffallend? Für welches Markenprodukt wird dabei geworben?

Ich finde den Werbespot für … interessant. In dem Spot sieht / hört man …

▶ 5|16 **b** Lesen Sie und hören Sie den Text. Warum wirbt eine Schuhfirma mit einem modernen Gedicht?

Auffallen um jeden Preis …

Firmen, die nicht für ihre Produkte werben, haben kaum Chancen auf dem Markt[1]. „Wer nicht wirbt, der stirbt", hat der Automobilhersteller[2] Henry Ford vor mehr als 100 Jahren behauptet[3]. Jedes Jahr
5 werden allein in Deutschland mehr als 30 Milliarden Euro für Werbung ausgegeben. Firmen werben auf Plakatwänden und Reklametafeln, im Fernsehen, im Internet, im Radio und im Kino.
Werbung ist überall …, und trotzdem fällt sie kaum
10 jemandem auf[4]! Denn nur zwei Prozent der offiziellen Werbebotschaften werden von den Konsumenten beachtet. Für die Firmen ist es deshalb wichtig, andere, neue Wege zu finden, um sich und die eigenen Produkte zu präsentieren.
15 Die billigste Möglichkeit ist Mundpropaganda: Zufriedene Kunden empfehlen ein Produkt weiter. Auch versteckte Werbung oder „Schleichwerbung" hat oft eine größere Wirkung als ein großes Werbeplakat. Wenn bei einer Fernsehdiskussion ein
20 bestimmtes Markengetränk auf dem Tisch steht, oder wenn die Hauptperson in einem Spielfilm ein bestimmtes Auto fährt, dann hofft man, dass die Zuschauer die Getränke- oder Automarke später auch wiedererkennen.

Überall ist Werbung

25 Manche Firmen verstecken ihre Produkte auch hinter Bildern und Themen, die besonders stark auffallen oder sogar schockieren. So warb eine österreichische Schuhfirma mit Avantgarde-Gedichten[5] und abstrakten Bildern, um ihren Firmen-
30 namen bekannter zu machen. Und eine italienische Modefirma zeigte vor einigen Jahren einen AIDS-kranken Mann auf ihren Plakaten.
Oft ist es egal, ob eine Beziehung zwischen den Themen in der Werbung und den Produkten be-
35 steht[6]. Die Konsumenten müssen auf die Marke aufmerksam werden[7], das allein ist wichtig.

[1] Möglichkeit, Produkte zu kaufen und zu verkaufen [2] seine Firma produziert Autos [3] etw. sagen und fest glauben, dass es richtig ist
[4] fast niemand bemerkt sie [5] Gedicht ≈ z. B. KB S. 43 „Meine Lieblingsstadt" [6] hier: etw. ist da [7] etw. genau beachten

c Lesen Sie den Text noch einmal. Sind die Sätze richtig oder falsch? Kreuzen Sie an.

		richtig	falsch
1	Vor 100 Jahren fand Henry Ford Werbung nicht wichtig.	☐	☐
2	Die Konsumenten sehen und hören die Werbebotschaften kaum.	☐	☐
3	Kunden können für die Firmen preisgünstige Werbebotschafter sein.	☐	☐
4	Produkte, die in Spielfilmen vorkommen, haben keine Werbewirkung.	☐	☐
5	Die Themen der Werbefilme müssen etwas mit dem Produkt zu tun haben.	☐	☐

d Schreiben Sie einen Text zu einem Produkt, das Sie empfehlen können.

Ich war letzte Woche / … im Supermarkt / Einkaufszentrum / …   Dort habe … gekauft, um … zu …   Es / Er / Sie ist …
… kann ich wirklich empfehlen.   Ich kann dir zeigen, was / wie …   Man kann damit auch …   Ich finde, es ist wirklich …

e Mundpropaganda wirkt: Kettenübung. Lesen Sie Ihren Text aus d Ihrer Nachbarin / Ihrem Nachbarn vor, sie / er liest Ihnen ihren / seinen Text vor. Reagieren Sie und tauschen Sie dann die Texte.
Suchen Sie mit dem Text Ihrer Nachbarin / Ihres Nachbarn andere Partner.

AB **C2 Werbung, die wirkt**

a Was passt? Was glauben Sie? Lesen Sie die Werbetexte und ergänzen Sie.

Reisebüro   Versicherung   Fluglinie   Teegetränk   Zoo

A

Sie sind so klein, frech und süß.
Doch sie haben gefährliche Feinde.

Global-_____:

**ein starker Partner mit
großer Verantwortung**

(Leider nicht für Mäuse.)

B

*Ein weißer Strand,
das blaue Meer,
ein fantastischer Sonnenuntergang ...*

Träumen Sie weiter ...
mit Calypso, dem entspannenden
_____ mit großer Wirkung.

▶ 5|17, 18 b Hören Sie und vergleichen Sie.

c Brainstorming. Ergänzen Sie die Endungen. Zu welchem Werbespot
aus a (A oder B) passen die Assoziationen (1 oder 2)? Ergänzen Sie.

1 □

kleine, frech____, süß____ Maus
gefährlich____ Feinde
groß____ Bild mit klein____ Maus
und mit groß____ Vogel
Global-Versicherung
stark____ Partner
mit groß____ Verantwortung

2 □

weiß____ Strand
blau____ Meer
fantastisch____ Sonnenuntergang
schön____ Farbfoto
entspannend____ Tee
mit groß____ Wirkung

┌───
Adjektivdeklination (3) nach Nullartikel
Singularregel 1 (SR1)*: kleine Maus
Singularregel 2 (SR2)*: weißer Strand,
                         großes Bild
Pluralregel 1 (PL1):   gefährliche Feinde

⚠ Aber:
Singularregel 3 (SR3): Dativ -em, -em, -er:
mit gefährlichem Vogel, mit großem Foto,
mit kleiner Maus

* = Endungen wie Adjektive nach *ein-*
───┘

d Gruppenarbeit. Wählen Sie ein Produkt und machen Sie eine Brainstormingliste zu diesem Produkt wie in c.
Die Adjektive und Nomen helfen Ihnen. Suchen Sie auch die Gegenteile.

• Mineralwasser   • Zahncreme   • Handschuhe   • Auto   • Shampoo   • Bettwäsche

riesig   schnell   fleißig   fein   ~~frisch~~   glücklich   müde   tief   wütend   blau
lang   lustig   neblig   sonnig   sauber   weit   ruhig   stark   durstig   mobil   ...

~~Berg~~   Licht   Sommer   Zitrone   Zähne   Mund   Zahnbürste   Frau   Hand
Winter   Eis   Schnee   Stadt   Autobahn   Familie   Pferd   Haare   Dusche
Musik   Handtuch   Mond   Nacht   Stern   Schlafzimmer   Erholung   ...

Mineralwasser
hoher Berg,
frisches Wasser,
...

e Lesen Sie den anderen Gruppen Ihre Brainstormingliste vor, nennen Sie aber
nicht das Produkt. Die anderen sollen das Produkt erraten.

*hoher Berg,
frisches Wasser, ...*

GRAMMATIK

Nomen

Adjektivdeklination nach Nullartikel

Sind Sie zu Besuch hier?

Nein, um meine Haare schneiden zu lassen.

	Nominativ	Akkusativ	Dativ
Singular			
• maskulin	weißer Pullover	weißen Pullover	weißem Pullover
• neutral	weißes Hemd		weißem Hemd
• feminin	weiße Bluse		weißer Bluse
Plural			
•	weiße Pullover		weißen Pullovern

Adjektivdeklination Nullartikel – Regeln (3)

Regeln	Beispiele	vergl. Adjektivdeklination (1)/(2) Seite 124/140
Hauptregel (HR): meistens -en	großen Vogel	einen großen Vogel
Singularregel 1 (SR1): nach Nullartikel • -e	kleine Maus	nach • eine -e: eine kleine Maus
Singularregel 2 (SR2): nach Nullartikel • -er, • -es	weißer Strand großes Bild	nach ein • -er, • -es: ein weißer Strand, ein großes Bild
Singularregel 3 (SR3): Dativ → nach Nullartikel • -em / • -em / • -er	mit gefährlichem Vogel mit großem Foto mit kleiner Maus	
Pluralregel 1 (PL1): • im Nom. und Akk. → nach Nullartikel -e	gefährliche Feinde	

Satz

Sätze mit *um ... zu*

Handlung →	Ziel
Alexander hat sich von den meisten Gegenständen getrennt,	um nicht von ihnen „abhängig" zu werden.
Alexander hat sich von den meisten Gegenständen getrennt,	weil er nicht von ihnen „abhängig" werden will.

Nebensatz – Konjunktion *damit*

	Konjunktion	Satzende
Subjekt 1 Ich habe einen Fernseher gekauft,	damit Subjekt 2* ich meine Lieblingssendung sehen	kann.
Subjekt 1 Ich habe einen Fernseher gekauft,	damit Subjekt 2** meine Frau ihre Lieblingssendung sehen	kann.

* Wenn Subjekt 1 = Subjekt 2, dann auch *um ... zu* möglich.

** Wenn Subjekt 1 ≠ Subjekt 2, dann nur *damit* möglich.

(((REDEMITTEL

über das eigene Konsumverhalten sprechen

Ich brauche ein/kein eigenes Fahrrad/...
Brauchst du einen eigenen Computer/...?
Ja, einen eigenen Computer/... brauche ich unbedingt.
Brauchst du keinen eigenen Computer?
Doch, einen eigenen Computer/... brauche ich unbedingt.
Ich finde es wichtig/richtig/..., mich auf wichtige Dinge zu konzentrieren /...

über Pläne sprechen

Ich mache eine Shoppingtour /..., um mich vom Bürostress zu erholen /...
Ich bringe unser Auto in die Werkstatt, damit die Bremsen repariert werden. /...

sich beschweren

Das geht doch nicht!
Das hat mich sehr enttäuscht.
Ich erwarte, dass ...
Ich muss mich leider bei Ihnen beschweren, weil ...
Könnten Sie bitte ...?

auf eine Beschwerde reagieren

Ich kann verstehen, dass Sie sich ärgern.
Es tut mir schrecklich leid.
Beruhigen Sie sich doch bitte. Das ist wirklich sehr ärgerlich, aber ...
Ich kümmere mich persönlich darum.
Ich kann leider nicht weiterhelfen.
Wenden Sie sich bitte an ...

über die eigene Zufriedenheit sprechen

Ich bin zufrieden/unzufrieden/...
Ich habe ... gekauft, aber ... funktioniert nicht / ist kaputt gegangen.
... aber ein Teil fehlt.

Was könnte das sein?

Schlank in drei Wochen

● Ratgeber

100% BIO

● Bio-Tomaten

● optische Täuschung

● künstliche Lebensmittel

● Fernsehnachrichten

Lüge und Wahrheit

a   Wer sagt immer, meistens, oft, manchmal oder nie die Wahrheit?
    Wem glauben Sie? Denken Sie an persönliche Erlebnisse. Machen Sie Notizen.

    Werbung: oft – neuer Schrank war wirklich ein Sonderangebot
    Politiker: ...   Freunde, Bekannte, Nachbarn: ...
    Medien (Fernsehen, ...): ...   Sachbücher: ...

b   Lesen Sie. Wie hat Anna herausgefunden, ob die Geschichte ihres Nachbarn
    richtig oder falsch war?

Anna: In meiner alten Wohnung hatte ich einen sehr netten Nachbarn. Er hat mir erzählt, dass er eine eigene Firma hat und hat behauptet, dass seine Firma Computerspiele herstellt. Ich habe ihm alles geglaubt. Einige Monate später ist mein Nachbar ausgezogen. Er hat sich nicht von mir verabschiedet. Ich hatte noch einige DVDs von ihm, deshalb habe ich mit dem Hausbesitzer gesprochen, um die neue Adresse meines Nachbarn herauszufinden. Der Hausbesitzer hat mir erzählt, dass mein Ex-Nachbar in eine andere Stadt gezogen ist. Dort arbeitet er jetzt in einem Krankenhaus. Er hatte nie eine eigene Firma. Ich habe keine Ahnung, warum er nicht die Wahrheit gesagt hat. Ich war schon ein bisschen enttäuscht.

c   Schreiben Sie einen Text mit Ihren Ideen aus a und sprechen Sie mit Ihrer Partnerin / Ihrem Partner.

    Im Fernsehen / In der Zeitung / ... habe ich ... gehört / gelesen / gesehen, dass ...
    ... hat mir erzählt / gesagt, dass ... Ich habe ... geglaubt / nicht geglaubt.
    Ich habe / bin ..., um die Wahrheit herauszufinden. Es hat gestimmt / nicht gestimmt.
    Ich weiß nicht / Ich habe keine Ahnung, warum ... Ich bin froh, dass ...
    Ich war enttäuscht / traurig / ...

    Ich habe alles geglaubt.

    Warum hat ... nicht die Wahrheit gesagt?

SIE LERNEN

– Abläufe beschreiben
– Grafiken erklären
– Vermutungen äußern

GRAMMATIK
– Adjektivendung *-lich*
– Passiv mit Modalverb
– Konjunktiv II –
  Vermutungen
– Wiederholung:
  Passiv Präsens;
  indirekte Fragesätze;
  Genitiv

WORTSCHATZ
– Essen und Trinken
– Grafiken

AB **A1 So wird Kunstfleisch gemacht.**

a **Was passt? Ordnen Sie zu. Was tun die Wissenschaftler? Schreiben Sie Sätze im Aktiv.** → Passiv Präsens, Lektion 13

1  2 3 4

d

a Im Labor werden die Zellen in eine Flüssigkeit gelegt.
b Die Qualität des fertigen Kunstfleisches wird getestet.
c Die Zellen teilen sich, sie „wachsen". Die Zellhaufen werden verbunden.
d ~~Aus dem Rücken eines Rindes werden Zellen genommen.~~

1d Die Wissenschaftler nehmen ...
2... Sie ...

▶ 5|19 b **Lesen Sie und hören Sie den Text. Welche Vorteile hat Kunstfleisch? Was ist beim Kauf von künstlichen Lebensmitteln wichtig?**

Wie „natürlich" kann Kunstfleisch sein?

„Es fehlt Salz und Pfeffer", meint die Ernährungsexpertin[1], „aber es schmeckt wirklich wie Fleisch." Sie hat gerade einen Hamburger gekostet, einen sehr teuren Hamburger. 250 000 Euro hat das Stück
5 Hackfleisch gekostet. Denn das Fleisch kommt nicht vom Bauernhof, sondern direkt aus dem Chemielabor. Jahrzehntelang haben Wissenschaftler geforscht, um künstliches[2] Fleisch herzustellen. Jetzt ist es gelungen. Tiere hört und sieht man in den wissenschaft-
10 lichen Labors natürlich nicht. Keine Kühe müssen gefüttert werden, kein Kuhmist[3] muss aus den Labors gebracht werden und kein Tier muss getötet werden. Trotzdem wird Rindfleisch produziert, und das funktioniert so: Zuerst werden aus dem Rücken eines
15 Rindes einige Zellen genommen, die Zellen werden in eine besondere Flüssigkeit gelegt, und dann wartet man. Wenn die Zellen sich geteilt haben und das Fleischstück „gewachsen" ist, werden die einzelnen Zellhaufen verbunden.
20 Das fertige Fleisch sieht wie rohes Hackfleisch aus, riecht wie Hackfleisch und schmeckt auch so. Auf Grillpartys kann es wie ein ganz normaler Hamburger gebraten und gegessen werden.
Die Wissenschaftler und Umweltorganisationen sind
25 zufrieden. Sie sind sogar überzeugt[4], dass Kunstfleisch die Welt retten kann. Das Klima auf der Erde ändert sich, und wir alle wissen, dass wir dagegen etwas tun müssen. Eine Hauptursache[5] für den

Eine Ernährungs-
expertin kostet das
Stück Kunstfleisch.

Klimawandel ist die Tatsache, dass weltweit zu viel
30 Fleisch produziert und gegessen wird. Wir haben deshalb drei Möglichkeiten: Wir essen viel weniger Fleisch, wir essen vegetarisch oder wir gewöhnen uns an Kunstfleisch.
Viele Menschen haben allerdings ein Problem mit
35 der Vorstellung[6], dass ihre Lebensmittel aus dem Labor kommen. So wird in vielen Ländern das Thema „Kunstkäse" intensiv diskutiert: Fertigpizzen und andere Lebensmittel enthalten oft Käse, der nicht aus Milch hergestellt wird. Der Kunstkäse
40 ist billiger und nicht so gesund wie echter[7] Käse. Doch die Wissenschaftler versuchen zu beruhigen: „Natürlich dürfen die Konsumenten nicht getäuscht[8] werden. Sie müssen wissen, ob sie natürliche oder künstliche Nahrungsmittel essen. Und künstliche
45 Nahrungsmittel müssen genauso gesund sein wie natürliche Bio-Produkte." Die Wissenschaftler, die an der Entwicklung von Kunstfleisch mitgearbeitet haben, sind jedenfalls überzeugt, dass man ihr Produkt in einigen Jahren in jedem Supermarkt
50 kaufen kann. Natürlich nicht für 250 000 Euro, sondern viel, viel billiger.

[1] Expertin für das, was man isst und trinkt   [2] hier: im Labor gemacht
[3] Abfall von Kühen   [4] etw. stark glauben   [5] warum etw. passiert   [6] Idee, Gedanke
[7] nicht künstlich   [8] jmdm. nicht die Wahrheit sagen

> Adjektive mit -lich
> wissenschaftlich, künstlich, ...

c **Wie steht das im Text? Schreiben Sie die Textzeilen.**

Zeile(n)

1 Die Ernährungsexpertin hat einen Hamburger probiert. 2–3
2 Die Wissenschaftler hatten Erfolg mit der Produktion von Kunstfleisch. _____
3 Die Wissenschaftler sind sicher, dass Kunstfleisch die Welt retten kann. _____
4 Das Klima ändert sich auch, weil wir zu viel Fleisch essen. _____
5 In Fertigpizzen findet man künstlichen Käse. _____
6 Man darf den Menschen keine falschen Informationen geben. _____

AB **A2 Die Konsumenten dürfen nicht getäuscht werden ...**

a **Ordnen Sie die Themen (A–C) zu und schreiben Sie dann die Passivsätze aus dem Text in 1b.**

A Kunstfleisch herstellen   B Kunstfleisch verkaufen
C Kunstfleisch essen

1 ☐ C Man kann das Fleisch ganz normal braten.
2 ☐ Man darf die Menschen nicht täuschen.
3 ☐ Man muss keine Kühe füttern.
4 ☐ Man kann das Fleisch ganz normal essen.
5 ☐ Man muss kein Tier töten.

> **Passiv mit Modalverb**
> Passiv Präsens Das Fleisch wird auf dem Grill gebraten.
> Das Fleisch kann auf dem Grill gebraten werden.
> (*auch*: soll / muss / darf / mag / will ... gemacht werden)

Auf Grillpartys kann es ...
_____
_____
_____

b **Unerlaubte Verkaufstricks. Ordnen Sie zu und schreiben Sie Sätze wie im Beispiel.**

A Fitnessmüsli   B Vanilleeis   C Garnelen   D Pesto Genovese   E Vollkornbrot   F Feta

1 ☐ C geformte Fischreste
2 ☐ Pesto ohne Olivenöl
3 ☐ Eis mit künstlichen Geschmacksstoffen
4 ☐ Müsli mit 50 Prozent Zucker
5 ☐ Käse aus Kuhmilch
6 ☐ dunkles Brot ohne Vollkornmehl

1 Geformte Fischreste dürfen nicht als Garnelen verkauft/angeboten werden.

▶ 5|20 c **Hören Sie und vergleichen Sie.**

A3 Vor und nach der Grillparty

a **Was muss vor und nach der Grillparty gemacht werden? Sortieren Sie die Ideen.**

~~Gemüse auf dem Markt einkaufen~~   Grillfleisch bestellen
die Kisten mit den leeren Flaschen zurückbringen
Stühle und Tische ausleihen   Sonnenschirme aufstellen
Kuchen backen   Geschirr abwaschen   Salate anmachen
Gartenmöbel wegräumen   Grillkohle besorgen
Plastikteller kaufen   Nachtisch zubereiten

Vorher: Gemüse
auf dem Markt
einkaufen, ...   (Grillparty)

Nachher: ...

b **Partnerarbeit. Vor oder nach der Grillparty?**
Sprechen Sie wie im Beispiel mit den Ideen aus a.

• Das Grillfleisch muss bestellt werden.
▪ Das machen wir vor der Party.

• Die Gartenmöbel müssen weggeräumt werden.
▪ Das machen wir nach der Party.

c **Gruppenarbeit. Sammeln Sie Ideen wie in a und beachten Sie dabei folgende Regeln.**

1 Jede/Jeder findet eine Situation (z. B. *heiraten*) und schreibt sie in die Mitte eines Zettels wie in a.
2 Denken Sie nach, was vorher oder nachher passiert. Schreiben Sie eine Idee über (= vorher) oder unter (= nachher) die Situation.
3 Geben Sie Ihren Zettel an Ihre rechte Nachbarin / Ihren rechten Nachbarn weiter.
4 Schreiben Sie auf den nächsten Zettel wieder eine Idee. Am Ende sollten auf jedem Zettel sechs bis acht Ideen stehen.

(in den Urlaub fahren ...)

(...)   (heiraten)

d **Tauschen Sie Ihre Listen mit der Nachbargruppe. Wählen Sie eine Liste aus und schreiben Sie einen Text. Verwenden Sie dabei auch Passivsätze mit Modalverben wie in b.**

AB B1 Die Präsentation

a Lesen Sie den Kalender und das Tagungsprogramm
und beantworten Sie die Fragen.

Elsa

Do	Amsterdam
	Abflug 19:00 Uhr
	(Unterlagen einpacken!)
Fr	11:00 Uhr Präsentation
	Konferenz Amsterdam

KDL AMSTERDAM
Konferenz der Lebensmittelhersteller

Tagungsprogramm

Freitag:
9:30 Uhr   Eröffnung
10:00 Uhr Hauptvortrag Mark Collins (GB):
              „Food Design"
11:00 Uhr Elsa Neuhof (D): „Schokoträume"
              Produktpräsentation, Firma Caribo

1   Was macht Elsa Neuhof am Freitag?
2   Wann fliegt sie nach Amsterdam?

▶ 5|21 **b**   Hören Sie. Wie fühlt sich Elsa? Was muss sie am Donnerstag tun?

▶ 5|21 **c**   Hören Sie noch einmal. Wovor hat Elsa Angst? Machen Sie Notizen. Schreiben Sie dann Sätze mit *könnte-*.

bei der Präsentation:	Computer funktioniert nicht, ...
auf dem Weg zum Flughafen:	Unterlagen verlieren, ...
am Flughafen:	

> **Konjunktiv II – Vermutungen**
> Der Computer könnte nicht funktionieren.
> ≈ Es wäre möglich, dass der Computer
> nicht funktioniert.

Der Computer könnte bei der Präsentation nicht funktionieren.
Auf dem Weg ...

d   Elsa ist immer und überall nervös. Was könnte wohl alles passieren?
Ordnen Sie zu und schreiben Sie Sätze. Finden Sie drei weitere Situationen und Sätze.

| A im Restaurant | B im Schwimmbad | C zum Flughafen | D am Arbeitsplatz | E beim Autofahren | ... |

1   ins Wasser fallen   B
2   die Rechnung falsch sein   _____
3   zu spät kommen   _____
4   keinen Liegestuhl bekommen   _____

5   Kunstkäse bekommen   _____
6   mit dem Chef Probleme bekommen _____
7   eine Panne haben   _____
8   ...

1 Im Schwimmbad könnte sie ins Wasser fallen. 2 ...

AB B2 Elsas SMS

a   Lesen Sie die SMS.
Was glauben Sie? Wo ist Elsa?

Am Flughafen
hat alles
geklappt!

Grüße an alle
Elsa

▶ 5|22 **b**   Hören Sie. Was ist richtig? Kreuzen Sie an.

1   Eva und die Kollegen denken,
dass die Stadt auf dem Foto
☐ Amsterdam ☐ Wien ☐ München ist.

2   Mark hat gehört, dass Elsas Bruder
☐ Popsänger ist. ☐ in Amsterdam lebt.
☐ dunkle Haare hat.

3   Mark glaubt, dass Elsa
☐ in München einen Freund hat.
☐ nach Amsterdam geflogen ist.
☐ auf der Konferenz war.

4   Elsa schreibt,
☐ dass ihr die Konferenz gefallen hat.
☐ dass sie gerade nach München fliegt.
☐ dass sie nicht auf der Konferenz war.

▶ 5|22 c   Hören Sie noch einmal und ergänzen Sie.

1 zweifellos   2 ~~selbstverständlich~~   3 anscheinend   4 offenbar
5 tatsächlich   6 wahrscheinlich   7 vielleicht   8 angeblich   9 eventuell

Eva: Habt ihr Elsas SMS gelesen?
Sonja: _2_ , aber ich verstehe das nicht. Sie müsste doch jetzt in
         Amsterdam sein, aber das auf dem Foto ist nicht Amsterdam …
Eva: Das stimmt. Das ist _____ München.
Mark: Das ist _____ München … Sie müsste doch auf der Konferenz sein,
         aber _____ ist sie nicht dort. Warum nur?
Eva: Keine Ahnung, aber das ist _____ nicht Amsterdam.
Sonja: Und wer ist der Mann auf dem Foto?
Eva: Das dürfte ein Bekannter sein.
Mark: Ich habe den Eindruck, dass das ein sehr guter Bekannter ist.
Sonja: Ich habe gehört, Elsa soll einen Bruder in München haben. _____ ist das ihr Bruder.
Mark: Der Sänger? Ihr Bruder soll Popsänger sein, habe ich gehört. Er ist _____ ziemlich gut.
Sonja: Das könnte er _____ sein. Ja, das ist er _____, er sieht wie ein Popsänger aus.

Sonja, Mark, Eva

d   Ordnen Sie die Wörter aus c zu.

A Ich bin sicher.	B Ich bin nicht sicher.
	wahrscheinlich

sollen
Elsas Bruder soll Popsänger sein.
= Das habe ich gehört oder gelesen.
Ich weiß nicht, ob die Information stimmt.

AB B3 Sie könnte in München sein …

a   Lesen Sie die Grammatikerklärung. Suchen Sie die Sätze mit Konjunktiv II im Text in 2c und
    schreiben Sie sie anders.

Konjunktiv II – Vermutungen verstehen
Indikativ: Sie kann nicht in München sein, sie muss in Amsterdam sein. = Ich bin 100 % sicher.

Konjunktiv: Sie könnte in München sein.   Wahrscheinlichkeit   +   (Es ist möglich.)
              Sie dürfte in München sein.   Wahrscheinlichkeit   ++   (Es ist wahrscheinlich.)
              Sie müsste in München sein.   Wahrscheinlichkeit   +++   (Es ist ziemlich sicher.)

Sie müsste doch jetzt in Amsterdam sein. = Es ist ziemlich sicher, dass …

b   Was könnte das sein?
    Ordnen Sie zu und schreiben Sie
    Sätze wie im Beispiel.

    • Ente • Kreuz • Getreide
    • Kloß • Tuch
    • Schlange • Fliege

    Nummer 1 müsste/könnte …

    …

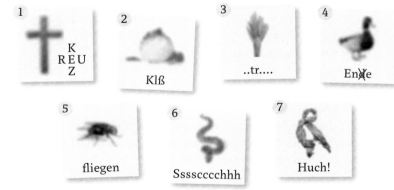

1   KREUZ
2   Klß
3   ..tr....
4   Ente

5   fliegen
6   Sssscccchhh
7   Huch!

▶ 5|23 c   Hören Sie und vergleichen Sie.

d   Partnerarbeit.
    Zeichnen Sie Gegenstände, decken Sie einen
    Teil Ihrer Zeichnung ab und lassen Sie
    Ihre Partnerin / Ihren Partner raten.

C

AB **C1 Wahrheit, Lüge und Statistik**

a   **Lesen Sie den Text und versuchen Sie, die Aufgabe zu lösen. Die Lösung finden Sie auf Seite 180.**
     Warum ist Statistik in der Schule wichtig?

Sind Sie gut in Statistik?

Ein bekanntes Sprichwort[1] sagt: „Es gibt drei Arten von Lügen: Notlügen, Lügen und Statistiken." Mit einer Statistik kann man einen Standpunkt[2] oft sehr gut unterstützen, manchmal aber auch sein genaues
5   Gegenteil. Statistiken kommen in jeder Nachrichtensendung und politischen Diskussion vor[3]. Es wäre deshalb wichtig, so meinen Bildungsexperten, das Fach Statistik und das Rechnen mit Wahrscheinlichkeiten intensiver zu unterrichten. Und das ist
10   anscheinend wirklich notwendig.

Bei einer Straßenumfrage stellte man folgende Aufgabe: Es ist zu 50 Prozent wahrscheinlich, dass es am Samstag regnet, und es ist zu 50 Prozent wahrscheinlich, dass es am Sonntag regnet. Wie
15   hoch ist die Wahrscheinlichkeit dass es an mindestens einem der Tage regnet? Viele Passanten tippten[4] auf 50 Prozent, einige auf 25 Prozent, manche sogar auf 100 Prozent. Fast niemand wusste die richtige Antwort. Wie gut ist Ihr
20   statistisches Wissen? Können Sie die Aufgabe lösen?

[1] eine Aussage, die viele richtig finden   [2] feste Meinung   [3] sein, existieren   [4] hier: raten

b   **Partnerarbeit. Lesen Sie die Texte und versuchen Sie gemeinsam, die Fragen mithilfe der Grafiken zu beantworten.**

Ⓐ *Der magische Hund*

Auf dem Küchentisch liegen Lebensmittel: sieben Würstchen und drei Eier. Das sind 70 Prozent Würstchen und 30 Prozent Eier. Ein Hund kommt in die Küche und frisst fünf Würstchen. Wie kann man statistisch zeigen, dass es dem Hund (anscheinend) gelungen ist, die Zahl der Eier zu verdoppeln?

Ⓑ *Pünktliche Züge*

Ein Zug fährt von A nach B. Auf der Zugstrecke gibt es insgesamt vier Haltestellen. An den ersten beiden Haltestellen ist der Zug pünktlich, an der dritten Haltestelle hat der Zug fünf Minuten Verspätung, an der vierten Haltestelle kommt er 15 Minuten zu spät an. Warum erklärt die Bahn trotzdem, dass der Zug auf der Strecke von A nach B pünktlich* war?

Ⓒ *Gewinn und Verlust*

Herr Hahn ist mit seinem Bankberater unzufrieden. Er hat für 100 000 Euro Aktien gekauft. Im ersten Jahr hat er 60 Prozent Gewinn gemacht, im zweiten Jahr hat er 50 Prozent verloren. Insgesamt hat er also 10 Prozent Gewinn gemacht. Warum hat er trotzdem nur noch 80 000 Euro auf dem Konto?

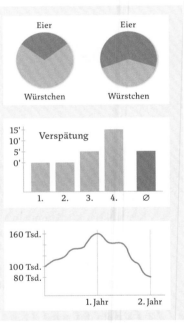

* Für die Bahn sind Züge pünktlich, wenn sie bis zu fünf Minuten Verspätung haben.

▶ 5|24 c   **Hören Sie und vergleichen Sie.**

AB **C2 Statistiken im Alltag**

a   **Herr Schneider hat in seiner Klasse einen Mathematiktest schreiben lassen.**
     Was möchte der Direktor der Schule von Herrn Schneider wissen?
     Schreiben Sie indirekte Fragesätze.

→ Indirekte Fragesätze, Lektion 9

A ☐ Wie viele sehr gute Klassenarbeiten haben Sie?
B ☐ Wie viele schlechte Klassenarbeiten gibt es?
C ☐ Wie viele Schüler sind in der Klasse?
D ☐ Wie waren die Ergebnisse?
E ☐ Wie war der Notendurchschnitt?
F ☐1 Haben Sie die Tests schon korrigiert, Herr Schneider?

A Der Direktor will wissen, wie viele ...

▶ 5|25 **b**   **Wie ist die Reihenfolge der Fragen im Hörtext? Hören Sie und ordnen Sie in a.**

▶ 5|25 **c**   **Hören Sie noch einmal und notieren Sie Herrn Schneiders Antworten zu den Fragen 2–6 aus a.**

       2 *Ganz gut, zumindest nicht so schlecht.*

d   **Was beschreiben die Grafiken? Schreiben Sie Sätze.**   → Genitiv, Lektion 16

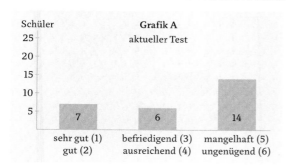 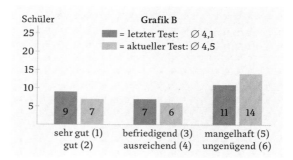

Grafik A / B zeigt das Ergebnis des Mathematiktests / die Zahl der sehr guten Klassenarbeiten / die Zahl der ...
Man kann erkennen, welche Unterschiede / wie viele Schüler / ...

e   **Was ist richtig? Unterstreichen Sie.**

   1   Eine Situation:

      Grafik A zeigt das Ergebnis des aktuellen Mathematiktests. Man sieht, dass etwas mehr als die Hälfte der Schüler die Note „sehr gut" oder „gut" / „mangelhaft" oder „ungenügend" bekommen haben. Die meisten / wenigsten Schüler haben die Note „befriedigend" oder „ausreichend" bekommen. 26 Prozent der Schüler haben die Note „sehr gut" oder „gut" / „mangelhaft" oder „ungenügend".

   2   Eine Entwicklung:

      Grafik B zeigt, wie sich die Ergebnisse zwischen dem letzten und dem aktuellen Test verändert haben. Man kann erkennen, dass die Zahl der guten Noten gestiegen / gesunken ist. Die Zahl der schlechten Noten hat abgenommen / zugenommen. Der Notendurchschnitt hat sich verändert / ist gleich geblieben.

f   **Wählen Sie ein Thema oder finden Sie selbst ein interessantes persönliches Thema.**
      Zeichnen Sie dann eine Grafik zu Ihrem Thema.

   1   Wie viele Bilder, Texte und Übungen gibt es in einer bestimmten Lektion Ihres Kursbuches?
   2   Wie viele Türen und Fenster gibt es im Kursgebäude?
   3   Wie viele Kursleiter und Kursleiterinnen gibt es in den Deutschkursen?
   4   Wie viele Mitarbeiterinnen und Mitarbeiter gibt es in Ihrer Firma?
   5   Wie viele neue Wörter haben Sie in den letzten drei Lektionen des Kursbuches gelernt?
   6   Wie viele Minuten (Stunden) haben Sie in den letzten zwei Wochen Deutsch gelernt?
   7   Wie viele Fahrräder, Bilder, ... hatten Sie früher, wie viele haben Sie heute?
   8   Wie oft kochen Sie selbst / fahren Sie mit dem Fahrrad zur Arbeit / ...?
      Wie oft haben Sie das früher gemacht?
   ...

Situationen (1–4)

Entwicklungen (5–8)

g   **Gruppenarbeit. Zeigen Sie Ihre Grafiken und erklären Sie sie.**

Die Grafik zeigt den / das / die / ...
Die Grafik zeigt, wie oft / wie lange / wie groß / ...
Wir sehen, dass ...
Die Zahl ... ist gleich geblieben / hat sich verändert.
Die Zahl ... ist gestiegen / hat zugenommen (↑).
Die Zahl ... ist gesunken / hat abgenommen (↓).

Die Grafik zeigt, wie viele
Angestellte bei „Roth und Co."...

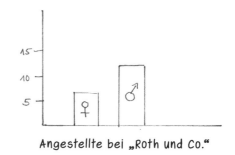

Angestellte bei „Roth und Co."

GRAMMATIK

Verb

Passiv – Präsens

Das Fleisch wird auf dem Grill gebraten.
Konsumenten werden manchmal getäuscht.

Passiv – Präsens mit Modalverb

	Modalverb	Partizip + *werden*
ich	kann/muss/darf/ soll/will/möchte	
du	kannst/ ...	
er/es/sie	kann/ ...	gefragt/ ... werden
wir	können/ ...	
ihr	könnt/ ...	
sie/Sie	können/ ...	

Die Sonnenschirme müssen auch noch aufgestellt werden.

Konjunktiv II – Vermutungen verstehen

	Konjunktiv II		
Sie	könnte	in München	sein.
Sie	dürfte	in München	sein.
Sie	müsste	in München	sein.

Wahrscheinlichkeit

+   Es ist möglich,

++   Es ist wahrscheinlich,   ⎫
                               ⎬ dass sie in München ist.

+++ Es ist ziemlich sicher,   ⎭

Adjektiv

Wortbildung mit *-lich*

die Wissenschaft	wissenschaftlich
die Kunst	künstlich

Satz

Satzklammer – Passiv mit Modalverben

	Position 2		Satzende
Das Fleisch	kann auf dem Grill gebraten		werden.
Konsumenten	wollen nicht getäuscht		werden.

(((REDEMITTEL

über Informationen sprechen

Im Fernsehen / In der Zeitung /... habe ich ... gehört/gelesen/gesehen, dass ...

Ein Freund /... hat mir erzählt/gesagt, dass ...

Ich habe ... geglaubt / nicht geglaubt.

Ich habe ... gefragt / bin ins Internet gegangen /..., um die Wahrheit herauszufinden.

Es hat gestimmt / nicht gestimmt, dass ...

Ich weiß nicht / Ich habe keine Ahnung, warum ... nicht die Wahrheit gesagt hat / gelogen hat /...

Ich bin froh /..., dass ...

Ich war enttäuscht/traurig /...

Abläufe beschreiben

Zuerst wird/werden ...

Dann wird/werden ...

Danach wird/werden ...

Zuletzt wird/werden ...

Wenn ... ist, wird/werden ...

über Aufgaben sprechen

... muss/kann bestellt / gekauft /... werden.

... können/müssen zurückgebracht /... werden.

Vermutungen äußern

Sie /... könnte/dürfte/müsste in ... sein.

Das könnte/dürfte/müsste ein/... sein.

Statistiken/Grafiken erklären

Die Grafik zeigt ...

Die Grafik zeigt, wie oft, wie lange, wie groß ...

Wir sehen, dass ...

Die Zahl ... ist gleich geblieben / hat sich verändert.

Die Zahl ... ist gestiegen / hat zugenommen.

Die Zahl ... ist gesunken / hat abgenommen.

Lösung zu Seite 178, C1a: Zuerst muss die Wahrscheinlichkeit berechnet werden, dass es am Wochenende <u>nicht</u> regnet.
Diese Wahrscheinlichkeit ist für Samstag und Sonntag jeweils 0,5. Diese Wahrscheinlichkeiten müssen multipliziert werden, um die Wahrscheinlichkeit für ein trockenes Wochenende zu erhalten (0,5 × 0,5 = 0,25).
Die Wahrscheinlichkeit, dass es an <u>mindestens</u> einem der Tage regnet, ist also 75 %.

Wohin geht die Reise?

• Wüstentour

• Wintercamping

• Bootstour

• Safari

Was ich schon immer (oder auch nie) ausprobieren wollte ...

a **Sammeln Sie ungewöhnliche Reiseerlebnisse. Was macht diese Reisen für Sie attraktiv ☺ oder unattraktiv ☹? Machen Sie Notizen.**

1 Wintercamping in den Alpen   2 Mount-Everest-Expedition
3 Safari in Afrika   4 mit dem Jeep durch die Salzwüsten Boliviens
5 mit dem Boot den Amazonas aufwärts   6 mit dem Mountainbike durch Australien
7 eine Kreuzfahrt auf dem Polarmeer   ...

1 ☹ dürfte unbequem sein, 2 ☺ ist vielleicht ...

b **Lesen Sie. Welche Reise interessiert Bernhard, welche nicht? Warum?**

Bernhard: Ich war noch nie in Afrika. Ich würde gern einmal eine Safari machen. Es muss toll sein, Elefanten und Löwen in der freien Natur zu beobachten. Man weiß nicht, wie lange das noch möglich ist. Einige Tierarten müssen streng geschützt werden, sonst kann man sie bald nur noch im Zoo sehen.
Ich habe noch nie Campingurlaub gemacht, auch nicht im Sommer. Ein Freund hat mich gefragt, ob ich mit ihm im Winter campen möchte. Er hat einen Wohnwagen und fährt zum Skifahren in die Berge. Ich habe ihm gesagt, dass ich lieber in ein bequemes Hotel gehen würde.

c **Schreiben Sie einen Text mit Ihren Ideen aus a und sprechen Sie mit Ihrer Partnerin / Ihrem Partner.**

Ich habe / bin / war noch nie ... Ich habe gehört / gelesen / ..., dass ...
... hat mich gefragt, ob ... Ich würde gern einmal ... Ich habe noch nie ...
Das möchte ich auch nicht. Ich würde lieber ...
Es muss / dürfte / könnte interessant / schwierig / gefährlich sein ...

SIE LERNEN

– etwas vergleichen
– diskutieren
– einen Weg erklären
– von einer Reise berichten
– ein Land / eine Stadt beschreiben

GRAMMATIK

– Adjektivdeklination – Komparativ
– Nebensätze mit *während, bevor*
– Präpositionen mit Genitiv *außer-, inner-, unter-, oberhalb*
– Wiederholung: Komparativ; Adjektivdeklination; Konjunktiv II

WORTSCHATZ

– Landschaft
– Natur

Ich habe noch nie ...

Würdest du gern einmal ...?

AB **A1** **Für immer ins Ausland ...?**

D. Wagner –
Auswanderung
1858

A

B

a **Welche Fragen hatten D. Wagner (A) und C. Tausch (B) vor ihrer Auswanderung aus Deutschland? Was glauben Sie? Ordnen Sie zu und begründen Sie.**

1 ☒ A Wie lange ist das Segelschiff unterwegs?
2 ☐ Wie lange muss ich auf die Einreisegenehmigung warten?
3 ☐ Ist die politische Situation besser als in Deutschland?
4 ☐ Kann ich mit dem höheren Lohn in Amerika die Überfahrt zurückzahlen?
5 ☐ Bekomme ich genug Aufträge im sozialen Wohnungsbau?

C. Tausch –
Auswanderung
heute

▶ 5|26, 27 b **Lesen Sie und hören Sie die Texte. Vergleichen Sie mit Ihren Vermutungen aus a.**

Neubeginn in der Fremde

A Seit fünf Wochen ist Dietrich Wagner mit seiner
Familie auf See. In Bremerhaven haben sie die Reise
angetreten[1]. Dort sind sie an Bord der *Leipzig* gegangen. Die *Leipzig* ist ein Segelschiff, das sie nach
5 Amerika bringen soll. Gemeinsam mit 500 anderen
deutschen Auswanderern haben die Wagners ihr
Heim[2] verlassen, um in der Ferne ihr Glück zu suchen.
Es ist die Aussicht[3] auf ein besseres Leben, die sie
aus ihrer deutschen Heimat in die Fremde führt. Die
10 Überfahrt ist kein Vergnügen[4]. Acht Wochen lang sind
sie unterwegs, ... wenn alles gut geht. Denn immer
wieder passiert ein Unglück[5], wie der Brand auf der
Austria vor einigen Wochen. Nur 80 von 500 Menschen konnten gerettet werden.
15 Die Wagners wissen nicht genau, was sie in Amerika
erwartet, sie lassen sich überraschen[6]. Doch sie haben
einiges gehört. Es soll genug Land für alle geben und
auch viermal höhere Löhne. Und nur wenn sich diese
Hoffnungen bestätigen[7], kann Dietrich Wagner das
20 Geld zurückzahlen, das er vom Schiffseigentümer[8] für
die Überfahrt geliehen hat.
So wie die Wagners sind im 19. Jahrhundert mehr als
fünf Millionen Deutsche nach Amerika ausgewandert.
Die Gründe[9] waren der Mangel[10] an Lebensmitteln, die
25 schlechteren Arbeitsbedingungen, die größere Armut[11]
und nicht zuletzt die gefährlichere politische Situation
in Deutschland. Meist gab es dann für die deutschen
Auswanderer aber kein Zurück mehr. Sie mussten die
Herausforderungen[12] in ihrer neuen Heimat anneh-
30 men und sich bemühen[13], erfolgreich zu sein ...

B Clemens Tausch sitzt im Flugzeug nach Chile.
Er reist nicht als Tourist. Seine Absicht[14] ist es,
sich in Chile ein neues Leben aufzubauen. Als
selbstständiger Architekt möchte er im sozialen
35 Wohnungsbau tätig[15] sein. Es muss schön sein,
für Menschen Wohnhäuser zu bauen, die vorher
in Slums[16] gewohnt haben. Das war und ist seine
Überzeugung[17]. Die Ausreise hatte er sich allerdings einfacher vorgestellt. Die Einreisegeneh-
40 migung muss beantragt[18], dutzende Formulare
müssen ausgefüllt und etliche Amtswege erledigt[19]
werden. Ein ganzes Jahr lang hat er sich auf diesen
Tag vorbereitet. Aber jetzt kann er sich mit einer
gültigen Einreisegenehmigung auf sein neues,
45 besseres Leben freuen. Obwohl ... Manchmal ist er
nicht sicher. Er braucht Aufträge, um genug Geld zu
verdienen. Ohne Kontakte wird das anfangs sicher
schwierig. Gut ist, dass er jederzeit zurückkommen
kann, wenn es finanziell[20] nicht so gut klappt.
50 Fast 200 000 Menschen verlassen jährlich die
deutschsprachigen Länder, um irgendwo im Ausland ein neues Leben zu beginnen. Die Motive[21]
sind sehr verschieden: Manche Auswanderer
suchen einen interessanteren Job, manche sind
55 einfach neugierig auf ein Leben im Ausland, andere
haben sich in einen Menschen verliebt, der in einem
anderen Land lebt. Wenn der Neustart im Ausland nicht klappt, kann man wieder in die Heimat
zurück. Drei Viertel der Auswanderer kehren
50 innerhalb von zwei Jahren nach Hause zurück[22].

[1] beginnen   [2] Zuhause, Heimat   [3] Hoffnung   [4] Spaß   [5] etw. Schlechtes passiert   [6] etw. Unerwartetes geschehen lassen   [7] stimmen
[8] jmd., der ein Schiff besitzt   [9] Ursache   [10] es gibt zu wenig   [11] sehr wenig haben; (arm sein)   [12] schwierige Aufgaben   [13] alles versuchen
[14] Ziel, Plan   [15] etw. tun   [16] hier wohnen sehr arme Menschen   [17] eine feste Meinung   [18] offiziell um etw. bitten   [19] etw. tun, das man tun soll
[20] mit dem Geld   [21] Grund   [22] zurückkommen

Wann?
innerhalb • eines Monats / ...
innerhalb • von zwei Monaten / ...

c **Lesen Sie noch einmal. Welche Informationen geben die Texte über die Auswanderung früher und heute? Ergänzen Sie.**

		früher (1858)	heute
1	die Reise (Reisebedingungen)	*Segelschiff, acht Wochen*	
2	Reisevorbereitung		
3	Zahl der Auswanderer		
4	Motive für die Ausreise		
5	Rückkehr in die Heimat		

AB **A2 Warum auswandern?**

a   Partnerarbeit. Lesen Sie und vergleichen Sie die Reisebedingungen früher und heute.   → Komparativ, Lektion 10

> ... Acht bis zehn Wochen dauerte die Überfahrt auf der *Leipzig*.
> Es gab sehr wenig Platz an Bord: drei Quadratmeter für vier Personen.
> Die Lebensmittel für die Reise mussten selbst mitgebracht werden.
> Viele Auswanderer wurden krank und überlebten die Reise nicht.
> Um die Überfahrt zu bezahlen, mussten die meisten einige Jahre lang
> in der neuen Heimat für den Schiffsbesitzer arbeiten ...

> ... Clemens Tausch hat seinen Flug
> im Internet gebucht. 21 Stunden ist
> er unterwegs. Der Flug hat inklusive
> Bordservice (Speisen, Getränke,
> Spielfilme) nur einige hundert Euro
> gekostet ...

| gut | lang | bequem | gefährlich | gesund | interessant |
| anstrengend | teuer | hoch | unterhaltsam | ... |

Die Reise von Dietrich Wagner dauerte länger als ...

Die Kosten für die Reise waren damals ...

b   Unterstreichen Sie die fünf Komparative in Text A in 1b und ergänzen Sie dann die Endungen.   → Adjektivdeklination, Lektionen 15 + 17

   1   Es ist die Aussicht auf ein besser **es** Leben ... (Zeile 8)
   2   Es soll ... geben und auch viermal höher____ Löhne. (Zeile 17/18)
   3   Die Gründe waren ... die schlechter____ Arbeitsbedingungen,
       die größer____ Armut und nicht zuletzt die gefährlicher____
       politische Situation in Deutschland. (Zeile 24 –27)

> Adjektivdeklination – Komparativ
> Manche Auswanderer suchen
> einen interessanteren Job.

c   Schreiben Sie Sätze mit den Informationen aus a.

Dietrich Wagner hatte   eine längere Reise, einen ... Service, ... Kosten, ...
Clemens Tausch hat   eine ... Reise, einen ... Service, ... Kosten, eine ... Vorbereitung, ...

d   Motive für Auswanderer. Schreiben Sie Komparative mit Nomen.

~~eine Arbeit (befriedigend)~~   ~~Berufschancen (groß)~~   ein Lohn (hoch)   ein Leben (interessant)
Lebenshaltungskosten (niedrig)   eine Lebensqualität (hoch)   Gesetze (einfach)   ein Familienleben (glücklich)
Wetter (gut)   Naturerlebnisse (schön)   Stress (gering)   eine Ausbildung für die Kinder (gut)   ...

eine befriedigendere Arbeit, größere Berufschancen, ...

e   Partnerarbeit. Welche Motive aus d passen für Dietrich Wagner
und Clemens Tausch? Sprechen Sie wie im Beispiel.

Clemens Tausch sucht eine befriedigendere Arbeit. Er ...

AB **A3 Das Leben früher und heute**

a   War es früher besser? Ist es heute besser?
Wie viele Sätze können Sie in fünf Minuten schreiben?

Fahrräder	Verkehrsmittel	Autos	Geschäfte
Wohnungen	Wetter	Filme	Lebensmittel
Musik	Handys	Haushaltsgeräte	...

| schnell | gut | sparsam | preiswert/günstig | witzig | fett | schön |
| kompliziert | sauber | praktisch | lecker | zuverlässig | vernünftig | ... |

Früher gab es / hatte man / hatte ich / hatten wir ...
Heute gibt es / hat man / habe ich / haben wir ...

Früher gab es langsamere Fahrräder. Heute ...

b   Gruppenarbeit. Diskutieren Sie über Ihre Sätze. Welche Sätze sind für alle in der Gruppe richtig?

Früher gab es langsamere Fahrräder /...
Ich finde, das stimmt (nicht).

Das sehe ich genauso /anders.
Da bin ich anderer /deiner /... Meinung.

AB **B1 Couchsurfing**

a Lesen Sie den Text und sehen Sie die Zeichnung an. Beschreiben Sie dann Monikas und Rons
bisherige Reiseroute. Wohin könnten sie jetzt reisen?

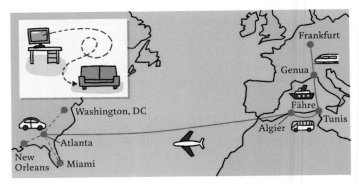

Couchsurfing

Monika und Ron sind auf Weltreise.
Um die Menschen und die Kultur der
Reiseländer besser kennenzulernen,
machen sie Couchsurfing. Auf der
5 Couchsurfing-Seite im Internet finden
sie Personen, die Fremde einladen, bei
ihnen zu wohnen. Manchmal entstehen
so auch schöne Freundschaften.

*Monika und Ron sind mit ... von ... nach ... gefahren. Nachdem sie in ... angekommen sind, haben sie
die Fähre / das Flugzeug / den Bus nach ... genommen. Von ... sind sie mit ... nach ... gefahren/geflogen/...
Sie könnten jetzt nach ... reisen/fahren.*

▶ 5|28 b Hören Sie den Dialog. Was passt? Kreuzen Sie an.

1 Monika will wissen,
  ☐ wie weit es nach Miami ist.
  ☐ wann es dunkel wird.
  ☐ was das nächste Reiseziel ist.

2 Ron möchte
  ☐ schnell eine Unterkunft finden.
  ☐ noch einen Hamburger essen.
  ☐ irgendwo im Auto schlafen.

3 Ron findet im Internet
  ☐ einen Parkplatz für die Nacht.
  ☐ einen möglichen Gastgeber.
  ☐ eine Tankstelle.

4 Monika und Ron sind
  ☐ in Miami.
  ☐ in der Nähe von Columbus.
  ☐ in Washington.

5 Monika möchte
  ☐ fertig essen.
  ☐ auf einen Anruf warten.
  ☐ sofort nach Columbus fahren.

Monika, Ron

> **irgend-**
> Ich will nicht wieder irgendwo schlafen.
> auch: irgendwohin, irgendwann, irgendwer, irgendwie, irgendetwas usw.

AB **B2 Die Zeit**

▶ 5|28 a Hören Sie noch einmal. Wer sagt was: Monika (M) oder Ron (R)? Ordnen Sie zu und
ergänzen Sie *nachdem, während* oder *bevor*.

1 R (gl) __Während__ wir etwas essen, (gl) könnten wir im Internet unseren nächsten Gastgeber suchen.
2 ☐ (__) _____ wir die nächste Couch suchen, (__) sollten wir unser nächstes Ziel kennen.
3 ☐ (__) Wir suchen eine Couch, (__) _____ wir das nächste Ziel festgelegt haben. (__)
4 ☐ (__) _____ wir hier diskutieren, (__) wird es immer später.
5 ☐ (__) Wir müssen etwas finden, (__) _____ es dunkel wird.
6 ☐ (__) Ich möchte noch meinen Salat essen, (__) _____ wir gehen.

b **Was passiert gleichzeitig (gl),
was zuerst (z)
und was danach (d)?
Ergänzen Sie in a.**

gleichzeitig Während sie essen,   gleichzeitig suchen sie eine Couch im Internet.
zuerst Nachdem sie gegessen haben,   danach suchen sie eine Couch im Internet.
danach Bevor sie essen,   zuerst suchen sie eine Couch im Internet.

c **Partnerarbeit. Wählen Sie gemeinsam sechs Uhrzeiten und schreiben Sie auf,
was Sie letztes Wochenende zu diesen Zeiten gemacht haben. Sprechen Sie dann wie im Beispiel.**

● Am Sonntag habe ich bis neun Uhr geschlafen.
■ Während du geschlafen hast, habe ich schon gefrühstückt.
● Was hast du gemacht, bevor du ...?

*Während/Bevor/Nachdem du ..., habe ich ...
Was hast du gemacht bevor/nachdem/während du ...?*

AB B3 Der Ort

▶ 5|29 **a** Lesen Sie und hören Sie die Wegbeschreibung aus 2a.
Was passt? Unterstreichen Sie. Zeichnen Sie dann den Weg
zum Treffpunkt in der Skizze ein.

Ron: … <u>Oberhalb</u>/Unterhalb des Flusses die Hauptstraße
entlang … Bei/Nach der ersten Kreuzung nach links
abbiegen. Vor/Nach der Tankstelle nach links/rechts,
dann 200 Meter geradeaus. Gegenüber/Neben dem
Bahnhof ist ein Café, dort ist der Treffpunkt. Ich hoffe,
er wohnt irgendwo innerhalb/außerhalb der Stadt …

> **Präpositionen mit Genitiv**
> oberhalb/unterhalb   des • Flusses
> außerhalb/innerhalb   der • Stadt

b Rollenspiel. Sie sind „Gastgeber".
Ihr „Couchsurfer" steht am Bahnhof in Ihrer Heimatstadt.
Wählen Sie einen Treffpunkt in der Nähe Ihrer Wohnung / Ihres Hauses.
Schreiben Sie eine SMS mit einer einfachen Wegbeschreibung
vom Bahnhof zum Treffpunkt.

Ich wohne in …
Meine Wohnung / Mein Haus ist außerhalb/
*   innerhalb der Stadt.*
Nehmen Sie den Bus Nr. 40 … bis …
Gehen Sie geradeaus …

Gehen Sie bis zur zweiten Kreuzung.
Biegen Sie … in die … (-Straße) ab.
Gehen Sie bei … um die Ecke.
Bevor Sie zur/zum … kommen, müssen Sie …
Der Treffpunkt ist vor/hinter/neben/an/bei …

um die Ecke

c Partnerarbeit. Lesen Sie die Beschreibung Ihrer Partnerin / Ihres Partners,
zeichnen Sie eine Skizze dazu und sprechen Sie.

Also, ich nehme …

AB B4 Von einer Reise berichten

a Lesen Sie die E-Mail. Was glauben Sie? Was haben Monika und Ron in den letzten Tagen in den USA erlebt?

Absender: Monika Becker
Betreff: Den Alligator nicht füttern!

Anhang: 🔊 🎵

Hallo an alle!

Wollt Ihr wissen, …
– ob wir nach Florida, Louisiana oder Washington weitergereist sind,
– wo der schönste Nationalpark in Florida liegt,
– warum wir uns plötzlich ziemlich klein gefühlt haben,
– warum wir am Campingplatz doch nicht schwimmen gegangen sind,
– wer George ist und was er mit dem Schild auf dem Foto zu tun hat?
Dann klickt auf die Audiodatei und hört uns einfach zu.

Monika und Ron

▶ 5|30 **b** Waren Ihre Vermutungen richtig? Hören Sie und beantworten Sie die Fragen in der E-Mail in a.

c Denken Sie an ein Reiseerlebnis. Es kann ein reales Erlebnis oder eine Fantasiegeschichte sein.
Schreiben Sie acht bis zehn interessante Interviewfragen zu diesem Erlebnis.

wann   wie   warum   wo   wohin   wie lange   mit wem   was für ein   welch   wie oft   …

Wann warst du im Nationalpark in Florida?

d Partnerarbeit. Tauschen Sie die Fragen aus und machen Sie Interviews. Raten Sie dann:
War das Erlebnis Ihrer Partnerin / Ihres Partners real?

AB **C1 Fernweh**

▶ 5|31 **a** **Lesen Sie und hören Sie Texte aus einem Internetforum. Woher kommen die Personen?**
Finden Sie die Regionen auf der Landkarte.

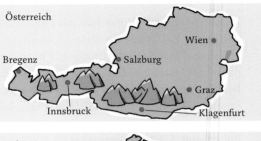

WEG VON ZU HAUSE

Wird es euch manchmal zu eng zu Hause? Wollt ihr etwas anderes sehen? Wollt ihr hinaus in die weite Welt?
Erzählt davon ...

Columbus2: Ich bin auf der Insel Rügen aufgewachsen[1]. Ich komme aus Sassnitz, das ist eine kleine Hafenstadt
im Osten der Insel. Ich bin auf Rügen zur Schule gegangen und war als Kind nie außerhalb der Insel.
Ich kenne hier alles, die Strandbäder im Osten, die Kreideküste, die wilden Strände im Süden. Mein
Lieblingsplatz war immer der Hafen. Da habe ich stundenlang den Schiffen zugesehen und habe von
anderen Kontinenten[2], Ländern und Städten geträumt. Vom Dschungel in Indien, vom Himalaya, von
steilen[3] Bergen, wilden Bergbächen, Schnee und Eis.

....

Daktari: Ich bin im „Ruhrpott" aufgewachsen, in einem Vorort von Duisburg. Klar, es ist toll, in der Nähe einer
großen Stadt zu leben, es ist immer etwas los und man hat alle Möglichkeiten. Mit 18 hat mich die
Großstadt aber genervt, und ich musste weg. Ich wollte etwas anderes sehen, ich wollte am Meer
sein, ich wollte menschenleere Strände erleben, tropische Wälder mit seltenen Tieren und Pflanzen ...
All das habe ich in Afrika gefunden.

....

Alm-Öhi: Ich komme aus einem kleinen Dorf in den Schweizer Alpen. Die Touristen, die im Winter und im Sommer vom Tal hinauf in unser Dorf kommen, lieben die Gegend[4] hier bei uns. Sie mögen den Gletscher,
die Berge, die Wälder und die Bergwiesen[5] mit den Rindern und Schafen. Ich wollte schon mit 18 weg.
Ich lebe jetzt viel weiter westlich, in Bordeaux in Frankreich. Natürlich sind die Berge schön, aber
ich liebe auch den Ozean[6], den weiten Himmel, die Hügel und Weinberge rund um die Stadt. Ganz
besonders gern bin ich am Ufer[7] des breiten Flusses, der durch Bordeaux fließt[8].

....

Skipper1: Ich komme aus Österreich, aber nicht aus den Alpen, sondern aus einem kleinen Dorf am Neusiedlersee,
einem großen See südlich von Wien. Nur zehn Kilometer von unserem Ort entfernt ist die ungarische
Grenze. Das Land ist flach[9], wir haben Wiesen, Felder, Wein, Mais, Weizen und anderes Getreide,
Pferde, Rinder und Schafe. In unserer Umgebung[10] gibt es nicht viele Jobs, deshalb müssen fast alle
im Dorf zur Arbeit nach Wien fahren. Den Neusiedlersee nennt man auch das „Meer der Wiener",
obwohl er an der tiefsten Stelle nur zwei Meter tief ist. Ich träume vom richtigen Meer mit Inseln,
steilen Küsten, geheimen[11] Buchten, kleinen Fischerdörfern und wunderschönen Sandstränden ...

---

[1] groß werden   [2] Erdteil, z. B. Europa, Asien usw.   [3] die Berge steigen sehr stark an   [4] Region, Landschaft
[5] Fläche mit Gras   [6] Meer   [7] Stück Land an einen Fluss, See oder Meer   [8] Bewegung von Wasser
[9] ↔ steil   [10] die Gegend rund um einen Ort   [11] niemand weiß davon

b   Wie sehen die Heimatregionen und die Wunschregionen der Personen aus?
    Sammeln Sie Informationen aus den Texten und machen Sie Notizen.

	Heimatregion	Wunschregion
Columbus2	Insel, Hafenstadt, ...	
Daktari		
Alm-Öhi		
Skipper1		

c   Machen Sie mit den Wörtern aus b eine Mindmap.

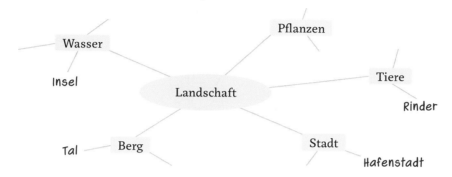

Wasser — Insel

Pflanzen

Landschaft

Tiere — Rinder

Tal — Berg

Stadt — Hafenstadt

d   Gruppenarbeit. Kennen Sie noch andere Regionen in den deutschsprachigen Ländern? Welche Städte,
    Flüsse und Seen gibt es dort? Wie sieht die Landschaft aus? Sammeln Sie Informationen und erzählen Sie.

Ich / Mein Bruder / Ein Freund / ... war schon einmal ...
Ich habe eine Dokumentation / einen Film über ... gesehen.
... liegt im Süden / Norden / Osten / ... von ...
... liegt nördlich / südlich / östlich / ... von ...

Es gibt dort ...
Der / Das / Die größte / ... See / Fluss / Berg / ... heißt ...
Besonders schön ist es am Ufer des ... / in den Tälern von ... / ...
Das Land ist flach / bergig / ...

AB **C2 So würde mir mein Heimatland besser gefallen.**

a   Lesen Sie den Text und sehen Sie die Zeichnung an. Ergänzen Sie die Verben
    im Konjunktiv II. Zu welcher Person aus 1a passt der Text? Ergänzen Sie.

→ Konjunktiv II, Lektionen 10 + 13

_____: Wenn ich die Geografie meiner Heimatinsel Rügen
(~~verändern können~~) _verändern könnte_ , (liegen) _____ sie direkt
neben der indischen Halbinsel _____. Indien (sein) _____ dann
allerdings viel kleiner. Von meiner Heimatstadt an der Küste (führen)
_____ eine Brücke direkt in den indischen Dschungel _____.
Ich (reiten können) _____ auf einem Elefanten durch den Dschungel
zum Himalayagebirge _____. Dort (geben) _____ es eine Seil-
bahn _____, die mich auf den Gipfel (bringen) _____ _____ .
Natürlich (sein) _____ auch das Klima anders. Auf Rügen (wachsen)
_____ dann Reis _____ .

b   Zeichnen und beschreiben Sie die Geografie Ihres Heimatlandes so,
    wie sie Ihnen besser gefallen würde.

Wenn ich ... verändern könnte, würde ...
*   im Norden / Süden ... liegen.*
... wäre größer / kleiner.
Im Norden / Süden ... würde es ... geben.

Die Nachbarstaaten wären ...
Ich könnte ... Ich müsste nicht ...
Das Klima wäre anders. Im Sommer / Winter / ... würde es ...

c   Partnerarbeit. Erklären Sie Ihre Zeichnung
    Ihrer Partnerin / Ihrem Partner.

Ich komme aus ... Im Norden gibt es ...
Wenn ich die Geografie meines Heimat-
*   landes verändern könnte ...*

GRAMMATIK

Adjektiv

Steigerung – Komparativ
mit Adjektivdeklination

> interessanter
> der interessantere* Job
> einen interessanteren* Job

* → Adjektivdeklination Regeln (1) Seite 124,
   Regeln (2) Seite 140 und Regeln (3) Seite 172.

Präposition

lokal *(wo?) – innerhalb*/außerhalb/
oberhalb/unterhalb* + Genitiv

Singular	
• maskulin	innerhalb/... des Staates
• neutral	innerhalb/... des Dorfes
• feminin	innerhalb/ ... der Stadt
Plural	
•	innerhalb/... der Städte

* auch termporal: *innerhalb eines • Monats,
eines • Tages, einer • Woche*

Wo fahren Sie denn hin?

Das weiß ich erst, nachdem wir gelandet sind.

Last Minute Flüge

Satz

Nebensatz – Konjunktion *während*

Konjunktion		Satzende	
Während	sie	essen,	suchen sie eine Couch im Internet.*

* Sie essen <u>und</u> sie suchen eine Couch im Internet. Zwei Dinge passieren **gleichzeitig**.

Nebensatz – Konjunktion *bevor*

Konjunktion		Satzende	
Bevor	sie	essen,	suchen sie eine Couch im Internet.*

* **Zuerst:** Sie suchen eine Couch im Internet. **Danach:** Sie essen.

REDEMITTEL

etwas vergleichen

*Früher gab es / hatte man /...
   langsamere/...
Heute gibt es / hat man /...
   schnellere/...*

diskutieren

*Ich finde, das stimmt (nicht).
Das sehe ich genauso/anders.
Da bin anderer/deiner/... Meinung.*

eine Reise beschreiben

*Wir sind mit ... von ... nach ... gefahren.
Nachdem wir in ... angekommen sind,
   haben wir die Fähre nach ... /
   das Flugzeug nach ... genommen.
Von ... sind wir mit ... nach ...
   gefahren/geflogen/...*

über Aktivitäten sprechen

*Während/Bevor/Nachdem du ...,
   habe ich ...
Was hast du gemacht bevor/
   nachdem/während du ...?*

einen Weg erklären

*Ich wohne in ... / Meine Wohnung /
   Mein Haus ist außerhalb/innerhalb
   der Stadt.
Nehmen Sie den Bus Nr. 40 ... bis ...
Gehen Sie dann geradeaus ...
Gehen Sie bis zur zweiten Kreuzung.
Biegen Sie ... in die ... (-Straße) ab.
Gehen Sie an ... / bei ... um die Ecke.
Bevor Sie zur/zum ... kommen, müssen
   Sie ... gehen.
Der Treffpunkt ist vor/hinter/neben/...*

ein Land beschreiben

*Das Land liegt in ...
Im Norden/Süden ... gibt es ...
... liegt im Süden/Norden/... von ...
... liegt nördlich/südlich/... von ...
Die Nachbarstaaten sind ...
Es gibt dort ...
Der/Das/Die größte/...
   See/Fluss/Berg/... heißt ...
Besonders schön ist es am Ufer des ... /
   in den Tälern von ... /...
Das Land ist flach/bergig/...*

nützliche Sätze

*Ich würde gern einmal ...
Ich habe noch nie ...
Das möchte ich auch nicht.*

Ist er wirklich schon so alt?

Alte und neue Lieblingsgegenstände, alte und neue Freunde

a **Was ist / sind Ihre ...? Machen Sie Notizen.**

mein ältester Lieblingsgegenstand: Sofa, aus Leder, vor zehn Jahren gekauft
mein neuester Lieblingsgegenstand: ...
meine ältesten Freunde: Mareike, im Kindergarten kennengelernt
meine neuesten Freunde: ...

b **Lesen Sie. Was sind Sophies Lieblingsgegenstände? Wo und wann hat sie ihre Freunde kennengelernt?**

Sophie: Meine Lederjacke habe ich gekauft, nachdem ich Abitur gemacht hatte. Sie ist jetzt zehn Jahre alt, aber ich würde sie nie weggeben. Ich hatte so viele schöne Erlebnisse mit ihr. Mein neuester Lieblingsgegenstand ist meine Kaffeemaschine. Sie macht den wunderbarsten Espresso der Welt. Er gibt mir Energie, bevor ich zur Arbeit gehe.
Mein ältester Freund ist Daniel. Wir haben uns im Sandkasten in unserem Hof kennengelernt. Seit damals sind wir Freunde. Daniel lebt in einer anderen Stadt, aber wir telefonieren und schreiben uns oft. Meine neueste Freundin ist Sabine. Wir haben uns kennengelernt, während wir uns auf eine Computerprüfung vorbereitet haben.

c **Schreiben Sie einen Text mit Ihren Ideen aus a und sprechen Sie mit Ihrer Partnerin / Ihrem Partner.**

Mein/... habe ich gekauft/bekommen, nachdem/bevor/während ich ...
Er/... Jahre alt. Ich ..., bevor/nachdem/während/als ...
Mein ältester Freund /... Wir haben uns kennengelernt ...

Mein Sofa habe ich ...

Wie sieht ... aus?

SIE LERNEN

– *Gegenstände beschreiben*
– *über Regeln für höfliches Benehmen diskutieren*

GRAMMATIK
– Relativsätze im Akk./ Dat./mit Präpositionen
– zweiteilige Konjunktionen (1) *sowohl ... als auch, weder ... noch, entweder ... oder*
– Wiederholung: Wortbildung *un-*; Personalpronomen

WORTSCHATZ
– Wohnen
– Beziehungen
– Körpersprache

A

AB **A1 Alt und jung – Beziehungen**

▶ 6|1 **a** **Partnerarbeit. Was passt? Ordnen Sie zu.**
Hören Sie dann und vergleichen Sie.

A Eine Beziehung beginnt. **1, …**
B Die Beziehung wird „offiziell".
C Es gibt Probleme in der Beziehung.

1 ~~jmdn. zufällig treffen / zufällig da sein~~
2 sich verlieben / verliebt sein   3 eine Beziehung haben
4 sich streiten   5 eine Einladung annehmen / ablehnen
6 sich verzeihen   7 sich verloben   sich von jmdm. trennen
8 heiraten   9 jmdn. zum Essen einladen   10 sich scheiden lassen
11 sich treu sein   12 jmdn. ansprechen   13 untreu sein

▶ 6|2 **b** **Lesen Sie und hören Sie den Text. Warum ist die Beziehung zwischen Dirk und Sonja ungewöhnlich?**

Dirk und Sonja

Vor zwei Monaten hat sie Dirk kennengelernt, bei der
Eröffnung einer Ausstellung. Sie hatte als Museums-
leiterin die Besucher begrüßt und einen kurzen
Vortrag über den Künstler gehalten. Da war er ihr
5 bereits aufgefallen. Ein großer, schlanker Typ[1] mit
dunklen Augen. Er hatte sie beobachtet. Beim Büfett
war er plötzlich hinter ihr, und dann hat er sie angesprochen. Er war nur zufällig da. Ein Freund, dem
er auf dem Heimweg von der Arbeit begegnet war,
10 hatte ihm die Einladung gegeben. Er hatte keine
Ahnung von Kunst.
Doch jetzt wollte er mehr wissen, … so sagte er
wenigstens. Er hatte vor Kurzem sein Studium beendet
und arbeitete für eine Versicherung. Der Job gefiel
15 ihm aber nicht besonders. Irgendwie fand sie seinen
Dialekt[2] süß, und es amüsierte[3] sie, als er sie zu
einem Abendessen einlud. Das wollte sie nicht
ablehnen. Es blieb dann nicht bei dem einen Abendessen. Sie trafen sich regelmäßig und allmählich[4]
20 wurde eine ernste Beziehung daraus.

Ja, sie ist verliebt. Seit ihrer Scheidung vor acht
Jahren hat ihr kein Mann so viel bedeutet. Dirk ist
rücksichtsvoll[5], zärtlich[6] und sensibel[7]. Die Unab-
hängigkeit, die sie in ihrer Beziehung haben, gefällt
25 ihr besonders gut. Kinder sind kein Thema, und sie
wollen auch kein Ehepaar werden. Auch Dirk ist
glücklich. Seine bisherigen Freundinnen hatten
immer einen Lebensplan, den Dirk akzeptieren und
unterstützen sollte. Er musste sich anpassen. Das
30 ist jetzt anders. Sie können spontan, frei und ohne
Druck zusammen sein. Sonja ist sicher, dass Dirk
es ehrlich meint. Manchmal fragt sie sich allerdings
schon, ob es ihnen gelingt, sich treu zu bleiben.
Würden sie sich verzeihen? Sie hat nicht vor, sich
35 besonders anzustrengen[8], um Dirk zu halten.
Es ist ärgerlich, dass seine Eltern gegen die neue
Beziehung sind. Andererseits[9] stimmt es, dass ihre
Beziehung ungewöhnlich ist. Der Altersunterschied
ist groß, das kann jeder ausrechnen. Dirk ist 24,
40 sie feiert nächsten Monat ihren 50. Geburtstag.

[1] hier: Mann   [2] Sprache einer Region   [3] etw. lustig finden
[4] langsam   [5] nett, denkt an andere   [6] mit Liebe
[7] mit viel Gefühl   [8] sich bemühen   [9] im Gegensatz dazu

c **Ergänzen Sie die Informationen zu Dirk und Sonja.**

	Dirk	Sonja
1 Alter	24	
2 arbeitet bei / als …		
3 Aktionen und Reaktionen beim Kennenlernen	beobachtet Sonja, …	
4 Vorteile der Beziehung		
5 eventuelle Probleme		hat nicht vor, sich besonders anzustrengen, um Dirk zu halten

d **Lesen Sie noch einmal. Welche Ausdrücke aus a kommen im Text in b vor?**

zufällig da sein, …

e **Ordnen Sie die Gegenteile zu.**

→ Wortbildung *un-*, Lektion 10

☺ ~~rücksichtsvoll~~   zärtlich   sensibel   mutig   treu   geduldig   witzig / humorvoll   ehrlich

☹ unehrlich   humorlos   untreu   ungeduldig   ~~rücksichtslos~~   feig   unsensibel   grob

rücksichtsvoll – rücksichtslos, …

Gegenteil
rücksichtslos ↔
rücksichtsvoll

f Partnerarbeit. Welche drei Eigenschaften aus e sind für Sie bei einem Mann oder einer
   Frau besonders wichtig? Welche drei Eigenschaften sind besonders unangenehm? Vergleichen Sie.

*Ein Mann muss für mich unbedingt
humorvoll sein. Er darf nicht ...*

Eine Frau sollte ...

AB A2 Die Verwandten

▶ 6|3 a Partnerarbeit. Dirks Mutter spricht am Telefon mit ihrer Schwester Olga. Was glauben Sie? Wer ist wer?
   Ordnen Sie die Personen (1–6) zu. Hören Sie dann das ganze Gespräch und vergleichen Sie.

   1 Dirk   2 Sonja   3 Tante Olga   4 Onkel Ralf   5 Dirks Eltern   6 Sonjas Eltern

   Dirks Mutter:„... Ja, er ☐1 sagt, er ☐ kennt sie ☐ seit zwei Monaten ... Ja, es ist etwas Ernstes ... Nein, er
   ☐ redet nicht einmal davon ... Nein, sie ☐ möchten keine ... Klar, dass das euch ☐3 ☐4 nicht so stört.
   Ihr ☐ unterstützt ihn ☐ ja immer. Für uns ☐ ist es schon ein Problem ... Sie ☐ ist Kunsthistorikerin ...
   Er ☐ stellt sie ☐ dir ☐ sicher einmal vor ... Ja, ja, ihm ☐ gefallen alle seine Freundinnen ... Ihnen ☐ gehört
   ein Gasthof ... Nein, uns ☐ erzählt er ☐ ja nichts mehr, aber euch ☐ vielleicht schon ... Ja, wir ☐ haben
   mit ihm ☐ gestritten ...“

b Ordnen Sie die unterstrichenen Pronomen aus a zu.

→ Personalpronomen, Lektionen 5 + 8

Nominativ	Akkusativ	Dativ
er		

c Lesen Sie die Relativsätze und ergänzen Sie die Personen (1–6) aus a.

   Sonja, Dirk und ihre Verwandten: Da ist/sind ...

   1 __Dirk__ , den Tante Olga und Onkel Ralf unterstützen.
   2 _____ , die Dirk seit zwei Monaten kennt und liebt.
   3 _____ , die Dirk im Moment unmöglich findet.
   4 _____ , der Dirk seine Freundin vorstellen möchte.
   5 _____ , dem Sonja sicher gefällt.
   6 _____ , denen ein Gasthof gehört.

   Relativsätze (Akkusativ und Dativ)

   Dirk, ● den Tante Olga und ... unterstützen.

   Der Freund, ● dem er auf dem Heimweg begegnet war.

A3 In welchem Alter geht das?

a Schreiben Sie Relativsätze. Tragen Sie dann die Nummern der Sätze in die Skala ein.

   1 elfjährige Kinder – die Eltern / sie / zu einem Schönheitswettbewerb anmelden (Akk.)
   2 ein dreizehnjähriger Junge – man / ihn / auf der Straße rauchen sehen (Akk.)
   3 ein vierzigjähriges Ehepaar – ihnen / es / in der Disco gefallen (Dat.)
   4 eine siebzigjährige Frau – man / sie / auf dem Motorrad fahren sehen (Akk.)
   5 ein vierzigjähriger Mann – ihm / seine Frau / vor dem Einschlafen etwas vorlesen müssen (Dat.)
   6 siebzigjährige Männer im Altenheim – man / ihnen / bei der Gründung einer Rockband helfen (Dat.)
   7 ein fünfunddreißigjähriger Mann – man / ihn / in Rente schicken (Akk.)
   8 zwei sechsjährige Kinder – ihnen / tausende Fernsehzuschauer / beim Tangotanzen zusehen (Dat.)
   9 ein neunzehnjähriger Mann – man / ihm / ein Ministeramt geben (Dat.)

   1 Elfjährige Kinder, die die Eltern zu einem Schönheitswettbewerb anmelden. 2 ...

   Das geht gar nicht. | 1 | Das finde ich toll.

b Partnerarbeit. Vergleichen Sie Ihre Ergebnisse und finden Sie Gemeinsamkeiten.

   Ich finde es toll/klasse/richtig/normal/schrecklich/..., wenn ...
   Ich finde es ..., dass es ... gibt, die ... | Da stimme ich zu. / Da hast du recht.
   Nein, im Gegenteil, ... | Ein ..., das geht gar nicht.
   In meinem Heimatland ist es unmöglich, dass/wenn ...
   Dazu habe ich keine Meinung / kann ich nichts sagen. / Das ist mir egal.

*Ich finde es schrecklich, dass es Eltern
gibt, die ihre elfjährigen Kinder ...*

AB **B1 Auch Gegenstände werden alt ...**

a **Lesen Sie den Text. Was ist das Thema der Radiosendung?**

NEUBACHER STADTRADIO
Do, 15:00–15:30 Uhr Im Gespräch

Haben Sie immer das neueste Handy, den neuesten Computer, das neueste Auto ...? Dann liegen Sie nicht ganz im Trend[1]. Denn „neu" ist nicht immer „in". Immer mehr Konsumenten umgeben sich mit Gegenständen, die alt sind oder zumindest äußerlich[2] alt aussehen. „Retrotrend" wird diese Bewegung genannt, die selbst nicht neu ist, wie der Kulturwissenschaftler Dr. Breitenbach in unserer Sendung erklärt.

[1] eine Entwicklung, z. B. Modetrend   [2] der Teil, den man sehen kann

b **Das Interview mit Dr. Breitenbach. Lesen Sie die Sätze. Was glauben Sie?**
Welche Antworten stimmen vielleicht? Unterstreichen Sie.

1 Beim Wort „Retrotrend" denken wir
  ☐ <u>an die Form oder das Aussehen von Dingen.</u>
  ☐ an unsere Urgroßeltern.
  ☐ an neue Kleider und Autos.

2 Das Wort „Retrotrend" bezieht sich
  ☐ nur auf Alltagsgegenstände.
  ☐ auf die Kultur des alten Griechenlands.
  ☐ auch auf die Architektur, die Musik und die Literatur.

3 Viele Menschen haben heute das Gefühl,
  ☐ mehr Zeit zu haben.
  ☐ immer neue Gegenstände kaufen zu müssen.
  ☐ sich schwer an Veränderungen anpassen zu können.

4 Menschen wollen alte Gegenstände um sich haben,
  ☐ um neue Entwicklungen mitzumachen.
  ☐ um sich sicher zu fühlen.
  ☐ um etwas zu verändern.

5 Eine neue Gitarre sieht manchmal alt aus,
  ☐ weil sie jeden Tag gespielt wird.
  ☐ weil die Firma sie ganz speziell behandelt.
  ☐ weil sie der Käufer absichtlich beschädigt.

6 Manche Menschen mögen keine neuen Gegenstände,
  ☐ weil sie alle gleich aussehen.
  ☐ weil sie nicht in die Wohnung passen.
  ☐ weil sie schneller kaputt gehen.

▶ 6|4 c **Was passt? Hören Sie das Interview und kreuzen Sie in b an.**

▶ 6|4 d **Hören Sie noch einmal. Welche Gegenstände werden im Interview genannt? Kreuzen Sie an.**

☒ Autos   ☐ Fahrräder   ☐ Kleider   ☐ Uhren   ☐ Hüte   ☐ Fernseher
☐ Radio   ☐ Holztisch   ☐ Stühle   ☐ Gitarre   ☐ Handy   ☐ Schrank

e **Retrogegenstände sind manchmal unpraktisch.**
Ordnen Sie zu und ergänzen Sie die Relativpronomen.

1 • Porzellangeschirr,   auf _____ (Dat.) man keine Nummern speichern kann
2 • eine Kamera,   für __das__ (Akk.) man ein spezielles Spülmittel braucht
3 • ein Auto,   mit _____ (Dat.) man nur auf dem Herd Kaffee kochen kann
4 • ein Telefon,   auf _____ (Dat.) man maximal eine Stunde lang ohne Probleme sitzen kann
5 • Stühle,   in _____ (Dat.) es keine Sicherheitsgurte und keine Klimaanlage gibt
6 • eine Espressomaschine,   für _____ (Akk.) man spezielle Filme kaufen muss

---
Relativsatz (mit Präpositionen)

An dem Tisch wurde jeden Tag gegessen.

Ein Tisch, • an dem jeden Tag gegessen wurde.

essen an (+ Dat.)

Konsumenten geben für alte Gegenstände viel Geld aus.

Alte Gegenstände, • für die Konsumenten viel Geld ausgeben.

ausgeben für (+ Akk.)

AB B2 Persönliche Retrogegenstände

a Gegenstände im Haushalt. Wie heißen sie? Ergänzen Sie.

- Flur:
  - Garderobe, • Spi _ g _ l, • Reg _ l
- Küche:
  - _ ühl _ _ _ ra _ k, • H _ _ d, • Mikrowelle,
  - Gesch _ rr _ pülm _ _ chine, • Spü _ e, • Backofen

- Badezimmer:
  - Waschbecken, • D _ sch _, • W _ sch _ aschi _ e,
  - Ba _ ew _ nne
- Wohnzimmer:
  - Ofen, • Sof _, • Sess _ l, • _ isch, • Sch _ _ nk, • _ ampe, • Hocker,
  - Fernseher mit • LCD-Bildschirm, • Fernbedienung
- Schlafzimmer:
  - Doppelbett, • Klei _ er _ _ _ rank

b Partnerarbeit. Machen Sie mit den Wörtern aus a ein Ratespiel.
Verwenden Sie Relativsätze wie im Beispiel.

*Ich denke an ein Möbelstück / ein Gerät /
einen (Einrichtungs)Gegenstand / ein Zimmer /...,
mit dem / in dem / auf dem /...*

*Ich denke an ein
Möbelstück, auf dem man
bequem sitzen kann.*

*Du denkst an
einen Sessel.*

▶ 6│5 **c** Hören Sie. Robert zeigt Lisa seine neue Wohnung. Welche Zimmer zeigt er ihr?

*Schön, dass du da bist.
Die Türklinke ist locker, ...*

Hallo, Robert.

im Treppenhaus

▶ 6│6 **d** Hören Sie noch einmal das Ende des Gesprächs. Welche fünf Gegenstände aus a werden im Dialog nicht genannt?

AB B3 Die „Loci-Technik": Ihr Wohnzimmer hilft Ihnen beim Sprachenlernen.

▶ 6│7 **a** Lesen Sie und hören Sie die 14 neuen Wörter. Suchen Sie die Bedeutung der Wörter im Wörterbuch.

- Schachtel sich erkälten • Besprechung • Kapitel • Bühne • Staub • Haut • Honig
- Kindertagesstätte (Kita) • Drogerie • Kunststoff • Stadtviertel • Verlag • Müllabfuhr

b Zeichnen Sie einen Plan Ihres Wohnzimmers
wie im Beispiel.

c Gehen Sie im Uhrzeigersinn ↻ durch Ihr Zimmer und
platzieren Sie die Wörter an 14 verschiedenen Stellen.
Machen Sie sich in Ihrer Vorstellung ein genaues
Bild von diesen Stellen und Wörtern.

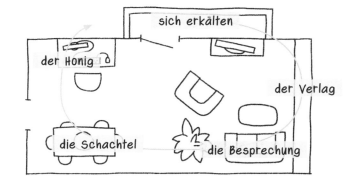

d Partnerarbeit. Zeigen Sie Ihrer Partnerin / Ihrem Partner
auf Ihrem Plan, wo Ihre Wörter stehen.

*Hier ist der Esstisch.
Auf dem Esstisch ist ...*

e Schließen Sie das Buch und schreiben Sie alle 14 Wörter aus dem Gedächtnis auf.
Üben Sie auch mit schwierigen Wörtern aus den vorigen Lektionen.

C

▶ 6|8 **a** **Lesen Sie und hören Sie die Texte. Wer bietet seinen Sitzplatz im Bus immer an?**
Wer steht nicht immer auf?

FORUM (ALLTÄGLICHES)

Würdet ihr im Bus für ältere Personen aufstehen?

wana2: Das hängt von der Situation ab[1]. Wenn der Bus sehr voll ist, und
wenn überall geschoben und gestoßen[2] wird, stehe ich natürlich
auf. Manchmal gibt es aber genügend freie Sitzplätze. Ich habe
dann schon ältere Personen erlebt, die von den Jüngeren trotzdem
verlangt haben, aufzustehen. Ich würde dann sitzen bleiben und
sagen: „Dort drüben ist ein Platz frei."

---

elvis66: Ich stehe sowohl für ältere als auch für schwangere und gehbehinderte Personen auf. Das ist selbstverständlich, da muss man mich nicht lange bitten. Ich verstehe nicht, warum jemand, der jünger ist,
seinen Sitzplatz nicht anbietet.

---

robi: Manchmal ist es gar nicht so einfach, höflich zu sein. Als ich
zur Schule ging, gab es viele Jugendliche, die weder für ältere
Personen noch für Gehbehinderte und Schwangere aufgestanden
sind. Wenn man seinen Sitzplatz angeboten hat, haben das die
anderen Schüler oft gar nicht verstanden. Man war dann sofort
der „Streber". Deshalb bin ich damals auch nicht immer aufgestanden. Heute ist das für mich selbstverständlich.

---

lex01: Ich habe kein Problem damit, für ältere Personen im Bus oder in der Straßenbahn aufzustehen. Aber
wenn diese Person selbst sehr unhöflich ist, und wenn sie zum Beispiel laut zu schimpfen beginnt, dann
bleibe ich sitzen. Entweder man fragt mich höflich oder man muss mit einem Stehplatz zufrieden sein.
So einfach ist das.

---

[1] etw. passiert nur, wenn etw. anderes auch passiert   [2] jmdn. mit einer schnellen Bewegung am Körper treffen

b **Partnerarbeit. Wer verhält sich in den Beispielen in a falsch?**
Wie sollten diese Personen sich verhalten? Formulieren Sie Regeln.

> *Im ersten Text verhalten die*
> *älteren Personen sich falsch.*
> *Sie sollten ...*

> *Ich finde aber, die*
> *Jugendlichen sollten ...*

c **Wer sagt was? Suchen Sie die passenden Textstellen in a und ergänzen Sie die Sätze**
mit den Konjunktionen aus dem Grammatikkasten.

1 __robi__ : Sie haben __weder__ (nicht) älteren _____ (und auch nicht) gehbehinderten Personen
ihre Sitzplätze angeboten.
2 _____ : Sie sollen mich _____ höflich fragen _____ (oder) einen Stehplatz akzeptieren.
3 _____ : Ich biete meinen Sitzplatz _____ älteren _____ (und) schwangeren Personen an.

> **zweiteilige Konjunktionen (1) – Bedeutung**
> weder ... noch ...   = das eine nicht und das andere auch nicht
> entweder ... oder ...   = das eine oder das andere
> sowohl ... als auch ... = das eine und (auch) das andere

C2 Höflichkeitsregeln

a **Lesen Sie die Beispiele und ergänzen Sie die Konjunktionen aus 1c.**

1 Alexander Henningsen, ein junger Mitarbeiter, kommt etwas zu spät zur Firmenfeier. Er wartet nicht, bis er begrüßt wird. Er gibt __sowohl__ dem Chef _____ (und auch) seiner Frau die Hand.

2 Der Bankangestellte ist _____ in Eile _____ (oder) er hat Frau Hofbauer nicht gesehen. Auf jeden Fall lässt er vor ihr die Tür ins Schloss fallen.

3 Manfred isst mit seinen Freunden in einem guten Restaurant zu Abend. Er hat _____ schlecht geschlafen _____ (oder) zu viel gearbeitet. Auf jeden Fall ist er sehr müde. Er gähnt mit offenem Mund.

4 Ein Jugendlicher hat _____ (nicht) Geld _____ (und auch nicht) eine Fahrkarte. Er steigt in den Bus und fragt den Busfahrer: „Kannst du mich mitnehmen?"

5 Frau Berger isst mit ihrem Mann zu Mittag. Sie hat _____ ihren Hund _____ (und auch) ihr Handy dabei. Den Hund füttert sie am Tisch. Mit dem Handy telefoniert sie, während sie isst.

6 Herr Schönhuber hat _____ (nicht) Erdbeermüsli _____ (und auch nicht) Erdbeermarmelade bekommen. Er kauft deshalb nur einen Becher Schlagsahne. An der Kasse ist eine lange Schlange. Herr Schönhuber will nicht warten und geht mit seinem Einkauf an den anderen Kunden vorbei direkt zur Kassiererin.

b **Partnerarbeit. Wer ist in den Beispielen in a unhöflich? Warum?**
Diskutieren Sie und schreiben Sie Höflichkeitsregeln. Finden Sie auch weitere Regeln.

1 Alexander Henningsen sollte pünktlich zur Firmenfeier kommen. Er sollte ... 2 ...
Weitere Regeln: Wenn man privat zum Abendessen eingeladen wird, sollte man ...

AB ## C3 Körpersprache

a **Was bedeutet das? Ordnen Sie zu. Welche körpersprachlichen Signale sind in Ihrem Heimatland gleich, welche anderen Gesten gibt es? Erzählen Sie.**

A B C D E F G

1 ☐ jemanden um etwas bitten
2 ☐ jemanden begrüßen oder verabschieden (mit der Hand winken)
3 A jemanden küssen, jemanden sehr mögen
4 ☐ jemanden beleidigen
5 ☐ nicken, jemandem zustimmen
6 ☐ sich weigern, etwas zu tun
7 ☐ lächeln, sich freuen

Das gibt es bei uns auch.

Bei uns bedeutet das etwas ganz anderes.

▶ 6|9 b **Lesen Sie den Liedtext und ergänzen Sie. Hören Sie dann das Lied und vergleichen Sie.**

| 1 in der ich Neugier spüre | 2 der mir Vertrauen gibt | 3 mit dem man nicht einfach nur spielt | 4 Wie er die Nähe liebt |

Erster Kontakt

Ein langer Blick, den ich nicht ignoriere.
Ein Lächeln, _____.
Eine Frage, _____.
Eine Bitte, bei der man sich hilflos fühlt.

Ein Händedruck, _____.
Ein Nicken, mit dem er schon „ja" sagt.
Eine Berührung ... _____!
Ein Kuss, bei dem niemand mehr nachfragt.

Weder in Liedern noch mit Worten lässt sich alles sagen.
Sowohl mit Gesten als auch mit Blicken kann man so viel wagen[1] – so viel mehr wagen!
Kein Entweder-Oder, ein mutiges Ja, das ist's, nach dem wir fragen – nach dem wir fragen!
Kein Entweder-Oder, ein mutiges Ja, das ist's, was wir unbewusst sagen.

[1] Risiko eingehen

Nomen

Relativpronomen im Akkusativ und Dativ

	Nominativ	Akkusativ	Dativ
Singular			
• maskulin	der	den	dem
• neutral		das	dem
• feminin		die	der
Plural			
•		die	denen

Das ist der neue Computer, den ich gekauft habe.

Pack ihn nicht aus, der ist morgen schon wieder alt.

Satz

Relativsatz – mit Relativpronomen *den/das/die* (Akkusativ)

		Relativpronomen	Satzende	
Singular				
• maskulin	... der Lebensplan,	den Dirk unterstützen	sollte.	jmdn./etw. unterstützen + Akk.
• neutral	... das Leben,	das er führen	wollte.	etw. führen + Akk.
• feminin	... die Unabhängigkeit, die	sie in ihrer Beziehung	haben.	etwas haben + Akk.
Plural				
•	... die Eltern,	die Dirk im Moment unmöglich	findet.	jmdn./etw. ... finden + Akk.

Relativsatz – mit Relativpronomen *dem/der/denen* (Dativ)

		Relativpronomen	Satzende	
Singular				
• maskulin	... ein Freund, dem	er ... begegnet	war.	jmdm. begegnen + Dat.
• neutral	... ein Paar, dem	diese Unabhängigkeit ...	gefällt.	jmdm. gefallen + Dat.
• feminin	... die Tante, der	Dirk seine Freundin vorstellen	möchte.	jmdm. eine Person vorstellen + Dat. (und Akk.)
Plural				
•	... die Eltern, denen	ein Gasthof	gehört.	jmdm. gehört etwas + Dat. (und Akk.)

Relativsatz – mit Präposition und Relativpronomen

		Relativpronomen	Satzende	
Singular				
• maskulin	... ein Tisch	**für** den ich viel Geld ausgegeben	habe.	Geld ausgeben für etwas + Akk.
		an dem gegessen	wurde.	sitzen an + Dat.

zweiteilige Konjunktion (1) – Bedeutung

	Sie sind	weder	für ältere	noch	für Gehbehinderte aufgestanden.
	Ich stehe	sowohl	für ältere	als auch	für schwangere Personen auf.
Entweder	man fragt		mich höflich	oder	man muss mit einem Stehplatz zufrieden sein.

((REDEMITTEL

über eine Beziehung sprechen

Sie/Er hat ihn/sie zufällig getroffen.
Sie/Er kennt ihn/sie seit ...
Es ist etwas Ernstes.
Sie/Er hat sich verliebt.
Nein/Ja, sie möchten (nicht) heiraten.
Nein/Ja, sie möchten (keine) Kinder.
Sie haben sich verlobt / geheiratet.
Sie/Er hat (mit ihm/ihr/...) gestritten.
Sie haben sich getrennt / scheiden lassen.

nützliche Sätze

Nein/Ja, sie reden (nicht) davon.
Klar, dass dich/Sie das (nicht) stört.
Für mich/... ist das schon ein Problem.
... erzählt sie/er ja nichts mehr.

diskutieren

Da stimme ich zu. | Da hast du recht.
Nein, im Gegenteil, ...

über Verhalten sprechen

Ich finde es toll/klasse, wenn ...
Es ist unmöglich, dass/wenn ...
Das gibt es bei uns auch ...
Bei uns bedeutet das etwas ganz anderes.

einen Gegenstand beschreiben

Das ist ein Möbelstück, auf dem man bequem sitzen kann / an dem man ...
Das ist ein Gegenstand, mit dem man ...

Von wem wurde ... erfunden?

• Wissenschaft und • Forschung

• Brückenbau

• Wasserrutsche im Schwimmbad

• internationale Messe

Wissenschaftlicher und technischer Fortschritt

a **Bauprojekte und technische Entwicklungen. Was hat Ihr Leben in den letzten Jahren verändert? Machen Sie Notizen.**

Was hat man gebaut?

Schwimmbad (Saisonkarte gekauft, jede Woche schwimmen gehen), neue Straßenbahnlinie ins Zentrum (bessere Verkehrsverbindung), ...

Was hat man erfunden oder weiterentwickelt?

Elektronik im Auto (mein Auto fährt auf der Autobahn fast allein), ...

b **Lesen Sie. Was hat man in Leons Stadt gebaut? Welches technische Gerät hat er gekauft?**

Leon: Etwas außerhalb meines Wohnortes hat man ein Einkaufszentrum gebaut. Jetzt kann man entweder im Einkaufszentrum oder in der Innenstadt einkaufen. Im Einkaufszentrum bekommt man alles, sowohl Kleider als auch elektronische Geräte oder Möbel. Ich kaufe trotzdem lieber in der Stadt ein, denn ich mag die kleinen Geschäfte im Stadtzentrum.

Seit einem Jahr besitze ich ein Elektrofahrrad, mit dem ich regelmäßig zur Arbeit fahre. Mein Büro ist 15 km von meiner Wohnung entfernt. Das ist ziemlich weit. Mit dem E-Bike bin ich aber in dreißig Minuten dort. Dabei strenge ich mich kaum an.

c **Schreiben Sie einen Text mit Ihren Ideen aus a und sprechen Sie mit Ihrer Partnerin / Ihrem Partner.**

In ... / In der Nähe meiner Wohnung /... hat man ... gebaut/renoviert.
Er/Es/Sie sieht... aus. Dort kann man sowohl ... als auch ...
Man muss weder... noch ... Das finde ich ... Seit... besitze ich ...,
der/das/die/mit dem ... Ich kann jetzt entweder... oder...

Ich habe ... gekauft.

Was kann man mit ... machen?

SIE LERNEN

– über Projekte sprechen
– telefonieren
– über Computerprobleme sprechen
– Personen über ihre Talente beschreiben

GRAMMATIK
– Passiv Präteritum
– Passiv *von* + Dativ
– Passiv Perfekt
– Nebensätze mit *seit/seitdem, bis*
– Wiederholung: Passiv Präsens; Präpositionen *seit, bis*

WORTSCHATZ
– Computer
– Zeitangaben

A

A1 Bauen wie im Mittelalter

A ☐

a Sehen Sie die Bilder an und ordnen Sie die richtige Bildunterschrift zu.

1 Im späten Mittelalter (12. Jh.) war der Dombaumeister für den Bau einer Kathedrale verantwortlich. Er berechnete die Maße der Mauern und des Gebäudes, er leitete die Arbeit auf der Baustelle.

2 Mittelalterliche Baustellen als Touristen-attraktion: Auch in Meßkirch wird wie im Mittelalter gebaut. Eine Kathedrale und ein Kloster sollen entstehen.

B ☐

▶ 6|10 **b Lesen Sie und hören Sie den Text. Warum dauerte der Bau einer Kathedrale früher oft mehrere Jahrhunderte lang?**

Hoch und immer höher ...

Meßkirch ist eine kleine Stadt in der Nähe des Boden-sees, in der ein besonderes Bauprojekt realisiert wird. In Meßkirch hört man weder Baumaschinen, noch sieht man Laster[1] oder andere schwere Baufahr-
5 zeuge. Denn auf der Baustelle wird ausschließlich[2] so gearbeitet wie vor 900 Jahren. Auf einem Grund-stück[3] mitten im Ort sollen ein Kloster und eine Kathedrale entstehen. Die „Museumsbaustelle" soll eine Touristenattraktion werden und kann so die
10 Wirtschaft der Stadt beleben[4].
Schon im Mittelalter war es für die Wirtschaft einer Stadt wichtig, wenn dort eine Kathedrale gebaut wurde. Die vielen Handwerker und ihre Familien benötigten[5] sowohl ausreichend Nahrungsmittel
15 als auch Kleider und andere Alltagsgegenstände. So wurde die Stadt auch für Kaufleute interessant. Ein neues, wichtiges Handelszentrum[6] entstand, und das für eine sehr lange Zeit. Denn der Bau einer Kathedrale konnte jahrhundertelang dauern.
20 Noch heute wundern[7] wir uns über die Größe der alten Kathedralen. Vor 900 Jahren haben diese Bau-werke wohl noch größer gewirkt, denn die Menschen lebten damals nur in kleinen Holzhäusern. In den Kathedralen hatten bis zu 10 000 Personen Platz,
25 das waren oft alle Einwohner einer Stadt. Hoch und immer höher sollten damals die Kirchen[8] in den Himmel wachsen, um so Gott näher zu kommen. Manche Kathedralen sind innen mehr als 50 Meter

hoch, ein Wohnhaus mit fünfzehn Stockwerken hätte
30 darin Platz. Im Mittelalter hatte der Dombaumeister die Verantwortung für den Bau. Von ihm wurden die Pläne gezeichnet. Er bestimmte[9], wer beim Bau dabei sein durfte, und er leitete die Arbeit auf der Baustelle. Zuerst mussten sowohl Werkzeuge als auch Holz-
35 leitern[10] hergestellt werden. Dann wurden Steine von den Steinbrüchen geholt, und danach wurden die Mauern gebaut, in die dann wunderschöne Glasfenster eingesetzt wurden. Werkzeugmacher, Glasbläser[11], Maurer, Steinbrecher[12], Zimmerleute[13]
40 und viele einfache Arbeiter arbeiteten auf der Bau-stelle. Doch dort lebten sie gefährlich. Manchmal wurden die halbfertigen Kathedralen durch Feuer oder durch Stürme zerstört[14]. Immer wieder konnten die Mauern das Gewicht des Daches nicht tragen,
45 und die schweren Decken stürzten ein. Hunderte Menschen wurden dabei getötet. Für die Baumeister war es damals nämlich schwierig, die richtigen Maße für die Gebäude herauszufinden. Versuch und Irrtum waren für sie oft die einzige Methode.
50 Heute kann alles viel besser berechnet werden. Nicht nur deshalb ist das Unfallrisiko in Meßkirch kleiner. Die Arbeiter müssen auf der Baustelle Helme tragen und alle Seile auf der Baustelle müs-sen aus Stahl sein, so wollen es die Sicherheitsvor-
55 schriften[15]. Doch sonst wird wie vor 900 Jahren gearbeitet, mindestens die nächsten 40 Jahre lang ...

[1] LKW [2] nur [3] ein Stück Land [4] die Wirtschaft aktivieren, mehr Angebote, mehr Geschäfte [5] brauchen
[6] hier wird gekauft und verkauft [7] kaum glauben [9] sagen, was passieren muss [11] sie stellen Glas her
[12] sie stellen Bausteine her [13] sie bauen Dächer/Häuser aus Holz [14] kaputt machen [15] Regeln, die für Sicherheit sorgen

[8]   [10]

c Beantworten Sie die Fragen zum Text.

1 Warum ist die Baustelle in Meßkirch besonders?
2 Warum war der Bau einer Kathedrale für eine mittelalterliche Stadt wichtig?
3 Warum hatten die Kathedralen im Mittelalter auf die Menschen eine stärkere Wirkung als heute?
4 Warum war die Arbeit auf einer Baustelle im Mittelalter gefährlich?
5 Warum ist die Arbeit auf der Baustelle in Meßkirch relativ sicher?

> durch + Akk. (Ursache)
> Die Kathedrale wurde
> durch ein Feuer zerstört.

AB **A2 Früher und heute ...**

a **Wie ist es heute? Schreiben Sie Sätze im Passiv Präsens.**

→ Passiv Präsens, Lektion 13

Gebäudemaße genau berechnen
~~Kloster~~ und Kathedrale ~~in Meßkirch~~ bauen
Baumaschinen einsetzen
Sicherheitsvorschriften beachten

> **Passiv Präteritum**
> Im Mittelalter wurden viele Kathedralen gebaut.
> Dadurch konnte auch das Geschäftsleben in den Städten belebt werden.

im Mittelalter

1 Im Mittelalter wurden viele Kathedralen gebaut.
2 Die Maße einer Mauer konnten schlecht berechnet werden.
3 Im Mittelalter wurden keine Maschinen verwendet.
4 Beim Bau einer Kathedrale wurden viele Arbeiter verletzt oder sogar getötet.

heute
In Meßkirch werden ein Kloster ...
Heute ...

b **Arbeit auf der mittelalterlichen Dombaustelle. Von wem wurden die Arbeiten erledigt?**
Suchen Sie die Berufe im Text (Zeile 30–41) und schreiben Sie Sätze.

1 ~~Werkzeuge herstellen~~   2 Glasfenster herstellen
3 Mauern bauen   4 Holzleitern und Dächer herstellen
5 Steine aus dem Steinbruch brechen   6 Steine holen   7 Pläne zeichnen

> **von + Dativ (hier: Verantwortliche/r)**
> Die Baustelle wurde vom Dombaumeister geleitet.

1 Die Werkzeuge wurden von Werkzeugmachern hergestellt. 2 ...

AB **A3 Große Bauprojekte in den deutschsprachigen Ländern**

▶ 6|11 a **Was passt? Ordnen Sie die Schlagzeilen (1–4) zu. Hören Sie dann und vergleichen Sie.**

1 ~~Deutsche Nationalmannschaft im Eröffnungsspiel II vom FC Bayern besiegt~~
2 Atomstrom von Österreichern abgelehnt
3 Bei Versuchsfahrt eines Zuges 288 km/h gemessen
4 1998 Brücke beschädigt und wochenlang für den Verkehr gesperrt

A ☐

1974 (D):
Köhlbrandbrücke in
Hamburg eröffnet

b **Schreiben Sie Sätze im Passiv Präteritum wie im Beispiel.**

A Im Jahr 1975 wurde die Köhlbrandbrücke in Hamburg eröffnet. Im Jahr 1998 wurde die Brücke beschädigt. Sie wurde wochenlang für den Verkehr gesperrt. B ...

B ☐

1978 (A):
Atomkraftwerk in
Zwentendorf stillgelegt

c **Partnerarbeit. Voraussetzungen und Folgen großer Bauprojekte. Wählen Sie drei Projekte und beschreiben Sie Voraussetzungen und Folgen im Passiv Präteritum/Präsens.**

Sportstadion/Universitätsbibliothek/Klinik/Zoo eröffnet
Kraftwerk/Brücke in Betrieb genommen   Schule/U-Bahn/Hotel/Wohnanlage gebaut

C 1

2005 (D):
Allianz Arena in
München eröffnet

Voraussetzungen (vor der Fertigstellung):
Grundstück suchen/kaufen/... | Pläne zeichnen / ändern / in Auftrag geben /...
Umweltprüfung machen | Ärzte/Sportverein/Biologen/Techniker/Lehrer befragen
Genehmigung beantragen | Bücher bestellen | Firmen für ... suchen
Verträge mit ... abschließen | Kredit aufnehmen | Arbeitsplan festlegen
Nachbarn/Medien/Politiker ... informieren | Kosten berechnen | ...

Folgen (nach der Fertigstellung):
Eintrittskarten verkaufen | Krankheiten behandeln | Tiere beobachten
Bücher ausleihen | Energie produzieren | Transport erleichtern | Touristen empfangen
Wohnungen vermieten/verkaufen | Turniere veranstalten | Verkehrsmittel benutzen | ...

D ☐

2007 (CH):
Lötschberg-Basistunnel
(34,6 km) fertiggestellt

Schule gebaut: Voraussetzungen: Ein Grundstück musste ... Die Lehrer mussten ...
Folgen: Die Kinder müssen keine Verkehrsmittel mehr benutzen ...

d **Lesen Sie Ihre Sätze vor.**
Die anderen erraten das Bauprojekt.

Die Kinder müssen nicht ...

Eine neue Schule wurde gebaut.

B

B1 Erfindungen aus den deutschsprachigen Ländern

a Partnerarbeit. Was glauben Sie? Wann und von wem wurde das erfunden?
Ordnen Sie zu und sprechen Sie.

Schubkarre

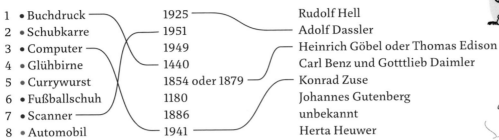

1 • Buchdruck	1925	Rudolf Hell
2 • Schubkarre	1951	Adolf Dassler
3 • Computer	1949	Heinrich Göbel oder Thomas Edison
4 • Glühbirne	1440	Carl Benz und Gotttlieb Daimler
5 • Currywurst	1854 oder 1879	Konrad Zuse
6 • Fußballschuh	1180	Johannes Gutenberg
7 • Scanner	1886	unbekannt
8 • Automobil	1941	Herta Heuwer

Ich glaube, dass die Schubkarre 1180 erfunden wurde.

▶ 6|12 b Hören Sie und vergleichen Sie.

c Welche drei Erfindungen aus a finden Sie wichtig, welche drei Erfindungen finden Sie nicht wichtig?
Begründen Sie und machen Sie Notizen.

Scanner: wichtig, man kann Dokumente im Computer speichern

d Partnerarbeit. Vergleichen Sie und finden Sie Gemeinsamkeiten.

Ich finde Scanner wichtig, weil ...

Das finde ich auch.

AB B2 Die Computerhotline

a Was passt? Ergänzen Sie. Was sagt der Kunde (K)?
Was sagt der Berater (B) an der Computerhotline? Ordnen Sie zu.

Meine Maus funktioniert nicht.

• DVD-ROM-Laufwerk • Monitor • Dateien hochfahren herunterfahren
surfen • Ordner • ~~Router~~ brennen • Tastatur herunterladen ausdrucken

1 ☒ K Ich möchte im Internet _____, aber mein _Router_ funktioniert nicht.

2 ☐ Sie sollten die _____ in einem eigenen _____ speichern.

3 ☐ Ich habe den _____ eingeschaltet, aber ich habe kein Bild.

4 ☐ Der Computer startet nicht, ich kann ihn nicht _____.

5 ☐ Sie dürfen keine CD _____, Sie müssen das Programm kostenpflichtig
aus dem Internet _____.

6 ☐ Der Drucker funktioniert nicht, ich kann die Datei nicht _____.

7 ☐ Ich kann auf der _____ den Buchstaben Ü nicht finden.

8 ☐ Warum funktioniert mein _____ nicht?

9 ☐ Mein Bildschirm reagiert nicht mehr. Ich kann den Computer nicht _____.

b Partnerarbeit. Lesen Sie die Fragen, machen Sie Notizen und sprechen Sie.

1 Kennen Sie noch andere Computerwörter?
2 Hatten Sie schon einmal Probleme mit Ihrem Computer?
3 Wie haben Sie diese Probleme gelöst?

▶ 6|13 c Hören Sie den Dialog zwischen Manuela und Jens und kreuzen Sie an.

1 Manuelas Computer
☐ fährt nicht hoch.
☐ hat keine Internetverbindung.
☐ ist kaputt.

2 Manuela
☐ hat die Hotline angerufen.
☐ den Computer ausgeschaltet.
☐ einen Freund angerufen.

3 Manuela
☐ konnte das Problem lösen.
☐ wurde schlecht behandelt.
☐ ist eine Anfängerin am Computer.

4 Manuela
☐ repariert den Computer selbst.
☐ sucht eine Lösung im Internet.
☐ wartet auf einen Rückruf.

AB **B3 Vor dem Gespräch mit Jens: Manuela und die Hotline**

▶ 6|14 **a** Hören Sie und ergänzen Sie.

1 ● Guten Tag, __was_____?
  ■ Guten Tag, ich habe ein Problem mit meinem Internet …
  …
  ● __Warten_____, ich verbinde Sie mit einer Kollegin.

2 ● Guten Tag, __wie_____?
  ■ Ich bin mit Ihnen verbunden worden. Ich hoffe, Sie können mir weiterhelfen.
  …
  ● Da benötige ich Ihre Kenndaten und Ihren Internetprovider.
  ■ __Wie_____? Könnten Sie das wiederholen?
  Das letzte Wort habe ich nicht verstanden …

b Rollenspiel. Arbeiten Sie in Dreiergruppen. Wählen Sie ein Problem und rufen Sie die Hotline an.
Sie werden weiterverbunden. Üben Sie Dialoge wie in a.

Ihr Fernseher empfängt kein Programm.   Ihre Waschmaschine verliert Wasser.
Sie können mit Ihrem Handy nicht telefonieren.   Sie brauchen ein Ersatzteil für Ihr Auto.
Sie wollen wissen, ob Sie Ihre Salbe aus der Apotheke abholen können.   …

▶ 6|13 **c** Ergänzen Sie das Passiv Perfekt. Hören Sie dann noch einmal Manuelas Dialog
mit Jens und vergleichen Sie. Ordnen Sie dann die Sätze.

a ☐ Ich (fragen) __bin__ zum Beispiel __gefragt worden__, ob der
  Computer eingeschaltet ist.
b ☐ Ich (verbinden) _____ wieder weiter _____.
c ☐ Zuerst (verbinden) _____ ich zweimal _____.
d ☐1 Ich (behandeln) _____ dort ganz schlecht _____.
e ☐ Alle meine Daten (prüfen) _____.

> Passiv Präteritum (eher schriftlich)
> Ich wurde mit Ihnen verbunden.
>
> Passiv Perfekt (eher mündlich)
> Ich bin mit Ihnen verbunden worden.

AB **B4 Was ist passiert? Wie sind Sie behandelt worden?**

a Schreiben Sie vier Fragen im Passiv Perfekt wie im Beispiel.

~~von einem Bankangestellten / schlecht beraten~~   in einem Restaurant / nicht bedienen
von einem Verkäufer / unhöflich behandeln   in der Schule / bestrafen   im Krankenhaus / operieren
von einem Polizisten / nach dem Ausweis fragen   von jemandem / beleidigen   von einem giftigen Insekt / stechen
von einem Hund / beißen   bei einer Prüfung / unfair behandeln   …

Bist du schon einmal von einem Bankangestellten schlecht beraten worden?

b Fragen Sie in der Gruppe. Wie viele Personen können Sie finden, die Ihre Fragen mit *Ja* beantworten?
Sprechen Sie über Ihre Erfahrungen.

c Gibt es Gemeinsamkeiten? Erzählen Sie im Kurs.

*Juri und ich sind
schon einmal …*

AB C1 Intelligenz

a Welche Geschichte passt zu welcher Person? Ordnen Sie zu.

1 ☐ Der Lehrer wollte sich <u>ein paar Minuten</u> ausruhen. Deshalb gab er seinen Schülern eine Rechenaufgabe. Sie sollten alle Zahlen von 1–100 zusammenzählen. Ein Schüler fand <u>sofort</u> eine Lösung und war <u>in zwei Minuten</u> fertig. (Lösung s. S. 204)

2 ☐ <u>Tagsüber</u> sah er immer wieder zur Geislerspitze hinauf. <u>An einem schönen Sommertag</u> nahm der Vater den Fünfjährigen <u>endlich</u> mit, und sie bestiegen den fast 3000 Meter hohen Berg.

3 ☐ <u>Nachdem</u> sie <u>mit neun Jahren</u> ihre ersten Fernsehauftritte gehabt hatte, durfte sie <u>im Frühling 1977</u> mit dem berühmten Dirigenten Herbert von Karajan auftreten. Er nannte die Dreizehnjährige ein „Wunder".

Anne-Sophie Mutter
(*1963, Musikerin)

Reinhold Messner
(*1944, Bergsteiger)

Carl Friedrich Gauß
(1777–1855,
Mathematiker)

Zeitangaben – Ordnen Sie die unterstrichenen Zeitangaben aus den Texten zu und sammeln Sie weitere Beispiele.

mit Präposition	mit Akkusativ	als Einzelwort	als Nebensatz
zu diesem Zeitpunkt, gegen fünf Uhr, …	letzten Sommer, nächsten Winter, *ein paar Minuten*, …	kürzlich, diesmal, übermorgen, jahrelang, wöchentlich, stündlich, …	…, bevor … …, während …

▶ 6|15 **b** Lesen Sie und hören Sie den Text. Welche „Multiplen Intelligenzen" passen zu den Personen in **a**?

Was testen Intelligenztests?

Seit Lukas Gerold sein Studium abgeschlossen hat, bewirbt er sich bei verschiedenen Firmen. Eine Firma hat ihn zu einem Aufnahmetest eingeladen. Jetzt sitzt er gemeinsam mit 30 anderen Bewerbern in einem
5 Saal[1] und muss 40 Minuten lang Testaufgaben lösen, bei denen er herausfinden soll, welche Symbole in ein bestimmtes Muster passen. Von der Testleiterin erfährt[2] er, dass er auf ein persönliches Gespräch mit dem Chef warten muss, bis die Testergebnisse
10 vorliegen.
Die Firma, bei der sich Lukas Gerold beworben hat, vertraut[3] auf einen Intelligenztest, um ihre Mitarbeiter auszuwählen. Seitdem der Psychologe Binet vor mehr als 100 Jahren den ersten Intelligenztest entwickelte,
15 dienen sie vor allem einem Zweck: Sie sollen schnell und einfach entscheiden helfen, wer bei einer Firma, an einer Universität oder an einer bestimmten Schule eine Chance bekommt und wer nicht.
Doch was testen Intelligenztests wirklich? Die Psy-
20 chologen behaupten, sie testen die „allgemeine Intelligenz" eines Menschen: Seine Fähigkeit, Probleme unter Zeitdruck zu lösen. Doch dem Intelligenzforscher Howard Gardner genügt das nicht. Menschen haben Fähigkeiten, die Intelligenztests gar nicht
25 messen können, meint er. Diese Fähigkeiten sind aber in vielen Lebenssituationen wichtiger und nütz-

licher[4] als die Fähigkeit, Symbole richtig zu ordnen. Howard Gardner schlägt vor, nicht von einer Intelligenz, sondern von mehreren Intelligenzen zu spre-
30 chen. In seiner Theorie der „Multiplen Intelligenzen" beschreibt er sechs.
Menschen, die gut analysieren und logisch denken können, haben eine hohe mathematische Intelligenz. Carl Friedrich Gauß oder Albert Einstein sind
35 Vertreter[5] dieser Intelligenz. Sowohl für Architekten, Designer und Piloten als auch für Künstler wie zum Beispiel Leonardo da Vinci ist hohe räumliche Intelligenz eine wesentliche[6] Voraussetzung für ihre Arbeit. Sportler, Tänzer oder Schauspieler sind
40 Menschen mit großer körperlicher Intelligenz. Die Arbeit von Journalisten, Schriftstellern oder Dichtern erfordert vor allem sprachliche Intelligenz. Johann Wolfgang von Goethe oder Thomas Mann sind dafür Beispiele. Und hohe musikalische Intelli-
45 genz war für Musiker wie Mozart oder Beethoven erforderlich[7]. Doch darüber hinaus ist auch die Fähigkeit wichtig, mit Menschen gut kommunizieren zu können oder mit sich selbst in Harmonie zu leben. Howard Gardner fasst diese beiden Intelli-
50 genzen mit dem Begriff der personalen Intelligenzen zusammen[8]. Menschen wie Mahatma Gandhi oder Diogenes sind typische Vertreter dafür.

Der Begriff der Intelligenz verändert sich im Lauf der Geschichte. Vor 100 Jahren waren Menschen intelligent, die hohe Bildung hatten. Im 21. Jahrhundert gelten[9] Menschen als intelligent, die entweder gut mit Computern umgehen können oder mit neuen Situationen gut zurechtkommen. In 100 Jahren finden wir vielleicht ganz andere Intelligenzen wichtig. Bis Intelligenztests alle diese Intelligenzen schnell und einfach testen können, müssen wir voraussichtlich[10] noch länger warten.

[1] großer Raum   [2] Information bekommen   [3] sich auf etw. verlassen   [4] praktisch, es hilft   [5] jmd., der für etw. steht
[6] sehr wichtig   [7] notwendig   [8] nur das Wichtigste wiederholen   [9] viele glauben, dass …   [10] sehr wahrscheinlich

c   Lesen Sie den Text noch einmal. Welche Beispiele für Vertreter der „Multiplen Intelligenzen"
    finden Sie im Text? Machen Sie Notizen.

    1 mathematische Intelligenz   3 körperliche Intelligenz   5 musikalische Intelligenz
    2 räumliche Intelligenz   4 sprachliche Intelligenz   6 personale Intelligenzen

    1 Menschen, die gut analysieren und … können, Gauß, …

d   Lesen Sie und suchen Sie die Antworten in den ersten
    beiden Absätzen im Text (Zeile 1–18).

    → Präpositionen *bis/seit*, Lektionen 3 + 8

    1 Seit wann bewirbt Lukas sich bei Firmen?
    2 Bis wann muss er auf ein Gespräch mit dem
      Personalchef warten?
    3 Seit wann entscheiden Intelligenztests,
      ob Personen Bildungschancen bekommen?

    Seit/Seitdem Lukas sein Studium abgeschlossen hat, …

    Bis die Testergebnisse vorliegen, …

AB   C2   Die Biografien unserer Intelligenzen

▶ 6|16 a   Hören Sie. Julia erzählt von ihrem Jugendfreund Markus. In welchen Intelligenzen
            haben Julia und Markus Stärken ☺, in welchen sind sie nicht so stark ☹? Ergänzen Sie.

            1 mathematische Intelligenz   J ○   M ○   3 musikalische Intelligenz   J ○   M ○
            2 sprachliche Intelligenz   J ○   M ○   4 räumliche Intelligenz   J ○   M ○

▶ 6|16 b   Hören Sie noch einmal und ergänzen Sie die Zeitangaben.

            damals   heute   während unserer Schulzeit   nachdem wir beide Abitur gemacht hatten
            bis er ein Buch für die Schule fertig gelesen hat   bis ich den richtigen Beruf gefunden habe
            als wir im Kindergarten waren   bis heute   seit sein Vater ihn auf eine Baustelle mitgenommen hat

            1 Schon _als wir_____, hat er gern mit technischem Spielzeug gespielt.
            2 Ich habe _____ lieber Bilderbücher angeschaut.
            3 _____ war Markus in Mathematik viel besser als ich.
            4 _____, hat es immer sehr lange gedauert.
            5 Und _____ kann er nicht richtig singen.
            6 _____, wollte Markus auch einmal auf einer Baustelle arbeiten.
            7 _____, hat er an einer technischen Universität studiert.
            8 Ich habe lange gesucht, _____.
            9 _____ bin ich Journalistin.

c   Denken Sie an drei Verwandte, Freunde oder Bekannte.
    In welchen Intelligenzen aus 1c hatten oder haben
    sie Stärken oder Schwächen? Notieren Sie und schreiben Sie.

    Im Kindergarten / In der Grundschule hat sie/er … /
    Mit … Jahren … / Als sie/er … / Seit sie/er in die … geht, … /
    Bis sie/er … / Nachdem sie/er …,

    Angela: körperliche Intelligenz,
    stark, …

    Im Kindergarten ist Angela schon schneller
    als alle Jungen gelaufen. Mit sechs Jahren …

d   Sprechen Sie mit Ihrer Partnerin / Ihrem Partner
    über die Person.

    Angela ist eine Kollegin in der Firma.
    Sie spielt sehr gut Fußball …

GRAMMATIK

Verb

Passiv – *von* + Dat. (Verantwortlicher/Täter)

Aktiv	Passiv
Dombaumeister leiteten die Baustelle.	Die Baustelle wurde **von Dombaumeistern** geleitet.
Dombaumeister haben die Baustelle geleitet.	Die Baustelle ist **von Dombaumeistern** geleitet worden.

Passiv – Präteritum (eher schriftlich)

	werden	Partizip
ich	wurde	
du	wurdest	
er/es/sie	wurde	behandelt/...
wir	wurden	
ihr	wurdet	
sie/Sie	wurden	

Passiv – Perfekt (eher mündlich)

	werden	Partizip
ich	bin	
du	bist	
er/es/sie	ist	behandelt/...
wir	sind	worden
ihr	seid	
sie/Sie	sind	

Satz

Nebensatz – Konjunktion *seit/seitdem* (temporal)

Konjunktion		Satzende	
Seit/Seitdem	Lukas sein Studium abgeschlossen	hat,	bewirbt er sich bei Firmen.

Nebensatz – Konjunktion *bis* (temporal)

Konjunktion		Satzende	
Bis	die Testergebnisse	vorliegen,	muss er auf ein persönliches Gespräch warten.

(((REDEMITTEL

am Telefon – über Computerprobleme sprechen

Guten Tag, was kann ich für Sie tun?
Guten Tag, ich habe ein Problem mit meinem Internet /...
Das Internet /... funktioniert nicht.
Haben Sie den Computer eingeschaltet /...?
Ja natürlich.
Ist ihr Computer mit dem Internet verbunden?
Ja, die Verbindung ist da, aber ich habe kein Netz.
Warten Sie bitte einen Moment, ich verbinde Sie mit einem Kollegen / einer Kollegin.
Guten Tag, wie kann ich Ihnen helfen?

Ich bin mit Ihnen verbunden worden.
Ich hoffe, Sie können mir weiterhelfen.
Was ist Ihr Problem?
Mein Computer hat kein Internet.
Da benötige ich Ihre Kenndaten und Ihren Internetprovider.
Oh, ich sehe schon, da muss ich Sie weiterverbinden.
Entschuldigen Sie, ich bin schon weiterverbunden worden ...
Tut mir leid ...

nützliche Sätze

Wie bitte? Könnten Sie das (bitte) wiederholen?
Das letzte Wort habe ich nicht verstanden.

Lösung von Seite 202:
Dem jungen Gauß fiel auf, dass man beim Zusammenzählen 50 Paare bilden kann: 1 + 100 = 101, 2 + 99 = 101, usw. Die Summe der Paare ist immer 101. Deshalb muss man nur die Zahl 101 mit 50 multiplizieren, dann hat man die richtige Lösung (5050).

Wer war der Täter?

Krimis und reale Kriminalfälle

a Mögen Sie Krimis? Interessieren Sie sich für Kriminalfälle in den Nachrichten? Warum? Warum nicht? Machen Sie Notizen.

Krimis: Was? Lieblingsserie   Wo? im Fernsehen   Wann? Dienstag 21:00 Uhr
Wie? auf dem Sofa vor dem Fernseher   Warum (nicht)? spannend

reale Kriminalfälle: Wo? in den Lokalnachrichten
Wann? am Morgen beim Zeitunglesen   Wie? ...   Warum (nicht)? ...

b Lesen Sie. Welche Krimis mag Irene? Interessiert sie sich für reale Kriminalfälle?

Irene: Im Fernsehen sehe ich nur sehr selten Krimis. Moderne Krimiserien, in denen viele Actionszenen vorkommen, mag ich nicht so gern. Aber mir gefallen alte Kriminalfilme, weil früher noch interessantere Geschichten erzählt wurden. Im Urlaub lese ich sehr gern Krimis. Da kann ich oft nicht aufhören, bis ich das Buch fertig gelesen habe.
Für reale Kriminalfälle interessiere ich mich nicht besonders. Aber wenn in den Nachrichten intensiv über einen Kriminalfall berichtet wird, weiß man natürlich, was passiert ist.

c Schreiben Sie einen Text mit Ihren Ideen aus a und sprechen Sie mit Ihrer Partnerin / Ihrem Partner.

Im Fernsehen / Im Kino / Im Internet ...
Ich mag / Mir gefallen ...,
in denen/ die ... Seit ich ..., lese ich ...
Ich interessiere mich für... Wenn ... berichtet wird, ...
Als ... berichtet wurde, ...

SIE LERNEN

– über Straftaten sprechen
– berichten, beschreiben
– die eigene Meinung äußern

GRAMMATIK

– zweiteilige Konjunktionen (2) zwar ..., aber, nicht nur ..., sondern auch
– Perfekt mit Modalverb
– Präposition wegen
– Wortbildung -heit, -keit
– Konjunktionaladverbien deswegen, daher, darum, nämlich
– Konjunktion da
– Wiederholung: denn; deshalb

WORTSCHATZ

– Kriminalität
– Gesetz
– Medien

Interessierst du dich auch für ...?

Meine Lieblingskrimiserie ist ...

AB **A1 Vor Gericht**

a   **Wer ist wer? Ordnen Sie zu.**

A Angeklagte   B Rechtsanwältin   C Staatsanwalt   D Richterin
E Zeugin   F ~~Kriminalbeamter~~

1   Kriminalbeamter   : Er sammelt Beweise, verhaftet Verdächtige
                          und bereitet die Anklage vor.
2   _____ : Sie vertritt die Interessen des Angeklagten.
3   _____ : Sie muss Recht sprechen. Sie muss den Angeklagten
                          verurteilen, ihn bestrafen oder ihn frei sprechen.
4   _____ : Sie hat eventuell ein Gesetz verletzt, wurde
                          festgenommen und vom Staatsanwalt angeklagt.
5   _____ : Er vertritt die Interessen des Staates und klagt Personen an.
6   _____ : Sie liefert wichtige Informationen zum Kriminalfall. Manchmal zeigt sie den Angeklagten
                          bei der Polizei an. Sie muss vor Gericht die Wahrheit sagen.

Gerichtsverhandlung, Gerichtsprozess

▶ 6|17 b   **Lesen Sie und hören Sie den Text. Hat Sabine G. ihre Chefin getötet?**

Gerichtsshows im Fernsehen: Alles nur gespielt?

„Ich war es nicht, ich habe sie wirklich nicht getötet."
Sabine G. kann es nicht glauben. Soeben hat der
Staatsanwalt die Tat aus seiner Sicht beschrieben.
„Die Angeklagte hat 600 Euro aus der Geschäftskasse
5 gestohlen[1]. Als ihre Chefin den Diebstahl bemerkt
hat, hat sie ihre Mitarbeiterin entlassen[2]. Die Angeklagte war darüber so wütend, dass sie noch am
selben Abend in das Haus ihrer Chefin einbrach[3] und
sie tötete." Für die Rechtsanwältin ist allerdings noch
10 lange nicht bewiesen, dass Sabine G. auch wirklich
die Täterin war. „Es ist zwar richtig, dass Frau G. zum
Haus ihrer Chefin ging, aber es ist falsch, dass sie
ihre Chefin getötet hat. Sie wollte sie nur bitten, sie
nicht zu entlassen. Sie hat den Mord nicht begangen."
15 Nicht nur die Zuschauer im Gerichtssaal folgen interessiert der Verhandlung, sondern auch hunderttau-
sende Zuschauer vor dem Fernseher. Die Gerichtsverhandlung findet nämlich in einem Fernsehstudio statt,
und nicht in einem wirklichen Gerichtssaal. Die Rich-
20 terin, die Rechtsanwältin und der Staatsanwalt haben
zwar Rechtswissenschaft studiert, im Fernsehstudio
sind sie aber genauso Schauspieler wie die Angeklagten und Zeugen in dem Gerichtsprozess. Die Rechts-
fälle, die gezeigt werden, sind meist erfunden. Manch-
25 mal werden aber auch echte Kriminalfälle nachgespielt.

Gerichtsshows im Fernsehen sind beliebt, sogar
Experten loben die Sendungen. Sie sind nicht nur
gute Fernsehunterhaltung, meinen sie, sondern
zeigen auch, wie unser Rechtssystem funktioniert.
30 Aber es gibt auch kritische Stimmen. In einem
echten Gerichtssaal würde sich wohl niemand so
verhalten wie die Schauspieler in den Shows. Es
wird ständig geweint[4], manchmal auch geschrien,
und die Richterin muss immer wieder für Ordnung
35 sorgen. In der Realität würden wichtige Beweise
oder Zeugenaussagen auch nicht in letzter Minute
präsentiert werden, so wie im Fall Sabine G.
Denn die Zeugenaussage einer Nachbarin sorgt in
der Verhandlung für eine Überraschung. Die Nach-
40 barin hatte nicht nur den tödlichen Schuss[5] aus dem
Nachbarhaus gehört, sondern auch den Ehemann
von Sabine G.s Chefin gesehen, der das Haus kurz
danach verlassen hatte. Seine Frau hatte von ihm die
Scheidung verlangt, da er sie betrogen[6] und viel Geld
45 beim Glücksspiel verloren hatte. Der Mann wollte
seine Frau an der Scheidung hindern[7], der Verdacht
sollte auf eine Unschuldige fallen. In der Fernseh-
show wurde er noch im Gerichtssaal verhaftet und
in einem weiteren Prozess zu einer lebenslangen
50 Gefängnisstrafe[8] verurteilt.

[1] etw. nehmen, was mir nicht gehört   [2] jmdm. kündigen   [3] als Dieb in ein fremdes Haus gehen   [4]   [5]
[6] hier: eine andere Liebesbeziehung haben   [7] jmdn. etw. nicht tun lassen   [8] 🔲

c   **Lesen Sie den Text noch einmal und machen Sie Notizen zu den Fragen.**

1   Wie erzählt der Staatsanwalt den Kriminalfall? (Zeile 4–9)   *600 Euro gestohlen, ...*
2   Was ist wirklich passiert? (Zeile 38–47)
3   Warum können Fernsehzuschauer bei der Gerichtsverhandlung zusehen? (Zeile 17–25)
4   Was denken Experten über die Gerichtsshows? (Zeile 26–29)
5   Was wird an den Gerichtsshows kritisiert? (Zeile 30–37)

d   **Partnerarbeit. Vergleichen Sie Ihre Antworten. Sprechen Sie.**

*Der Staatsanwalt
sagt, dass ...*

AB A2 Mit dem Gesetz in Konflikt kommen

▶ 6|18 a Sehen Sie die Fotos an und ordnen Sie die Straftaten zu. Hören Sie und sprechen Sie nach.

A **3**   B ☐   C ☐

D ☐   E ☐   F ☐

1 • Einbruch
2 • Mord
3 • ~~Diebstahl~~
4 • Betrug
5 • Körperverletzung
6 • Sachbeschädigung

b Was bedeuten die Konjunktionen? Ordnen Sie zu und unterstreichen Sie fünf Sätze im Text in 1b wie im Beispiel.

> zweiteilige Konjunktionen (2) Bedeutung
> 1 zwar …, aber ☐
> 2 nicht nur …, sondern auch ☐
> a das eine und auch das andere
> b das eine, aber auch das andere

c Lesen Sie die Ausschnitte aus Zeitungsmeldungen und ergänzen Sie die Konjunktionen. Welche Straftaten aus a passen zu den Meldungen?

~~entweder … oder~~   zwar …, aber   zwar …, aber   weder … noch
nicht nur …, sondern auch   nicht nur …, sondern auch

1 … Das Opfer hat den Täter __entweder__ in der Disco __oder__ (oder) auf dem Weg nach Hause getroffen … (__Mord__ / _____)

2 … Erst im Hotel bemerkten sie es: Sie hatten _____ ihre Dokumente noch, _____ (aber) ihre Geldbörsen waren weg … (_____)

3 … Sie hatte ihn _____ angesprochen _____ (auch nicht) beleidigt, trotzdem schlug er zu … (_____)

4 … Sie hatten _____ die U-Bahn-Station, _____ (und) die Wohnhäuser neben der U-Bahn mit ihren Graffitis bemalt … (_____)

5 … Er studierte _____ Medizin, machte _____ (aber) nie sein Abschlussexamen. Trotzdem eröffnete er eine Arztpraxis … (_____)

6 … Sie nahmen _____ alle Bilder, _____ (und) den gesamten Schmuck mit, nachdem sie durch die Terrassentür ins Haus eingestiegen waren … (_____)

d Partnerarbeit. Was passt? Ordnen Sie den sechs Zeitungsmeldungen in c Wörter zu. Manche Wörter passen zweimal.

in ein Haus einbrechen   Betrüger   Einbrecher   fremdes Eigentum beschädigen   stehlen
~~gewalttätig sein~~   jmdn. verletzen   Mörder   Dieb   einen finanziellen Schaden verursachen
Einbruch   betrügen   eine leichte Straftat begehen   jmdn. ermorden   etwas beschädigen   1 gewalttätig sein, …

e Partnerarbeit. Wählen Sie eine Zeitungsmeldung (1–6) aus c und erzählen Sie, was vielleicht passiert ist. Ihre Partnerin / Ihr Partner errät die Situation.

> _Zwei Einbrecher sind in ein Haus eingebrochen. Sie …_

A3 Nach der Straftat

a Partnerarbeit. Finden Sie die Aussagen richtig (r), teilweise richtig (t) oder falsch (f)? Ordnen Sie zu und formulieren Sie Ihre Meinung.

1 Jugendliche müssen anders als Erwachsene bestraft werden. ☐
2 Geldstrafen wirken besser als Gefängnisstrafen. ☐
3 Häufige Straftaten müssen strenger bestraft werden. ☐
4 Es gibt Verhalten, das nicht bestraft wird, aber bestraft werden sollte. ☐
5 Straftaten gegen fremdes Eigentum sollten milder als Körperverletzungen bestraft werden. ☐

> _Ich finde, dass nicht nur …,_
> _sondern auch … / zwar …, aber …_
> _Bei uns werden weder … noch …_
> _bestraft, das finde ich …_
> _Es ist zwar gut, wenn …, aber ich_
> _finde es weniger gut, wenn …_
> _Entweder sollte man … oder …_
> _Wenn jemand zum Beispiel …,_

b Partnerarbeit. Diskutieren Sie. Begründen Sie Ihre Meinung mit Beispielen.

AB B1 Aus dem Gerichtssaal

a Partnerarbeit. Lesen Sie die Schlagzeilen zu verschiedenen Gerichtsfällen. Was glauben Sie?
Um welche Straftaten geht es in den Zeitungsartikeln?

1 **Militärhubschrauber gestohlen**

2 **Jogger neben Militärflughafen tot aufgefunden**

3 **Reiterin will Militär auf Schadensersatz verklagen**

4 **Pferdediebin verhaftet** 5 **Joggerin von Hund gebissen**

Im ersten Artikel könnte es um einen Diebstahl oder um einen Einbruch gehen. Ein Hubschrauber wurde gestohlen.

▶ 6|19 b Hören Sie. Über welchen Gerichtsfall aus a spricht Hanna Huber?
Welche Zeichnung passt zu Hannas Geschichte?

▶ 6|20 c Hören Sie noch einmal das Ende des Gesprächs
und ergänzen Sie. Achtung: Nicht alle Verben passen.

suchen können   fahren müssen   rufen müssen   aufstehen wollen
sehen können   mitfahren dürfen   sitzen können

1 Wir __haben__ einen Krankenwagen _____ _____ .
2 Die Frau _____ zwar sofort _____ _____ ,
   aber sie _____ nicht einmal _____ _____ .
3 Wir _____ es gar nicht _____ _____ ,
   wir _____ ja in die Notaufnahme des Krankenhauses
   _____ _____ .

d Frau Elbrich, die Reiterin, will auf Schadensersatz klagen.
Hanna sagt als Zeugin vor Gericht aus.
Was will der Richter wissen? Schreiben Sie fünf Fragen.

Der Richter will wissen, …
1 wie weit Hanna von Frau Elbrich entfernt war, als der Unfall passierte.
2 wo sich Herr Gerhold mit seinem Hund befand.
3 ob Hanna Fluggeräte gesehen hat.
4 wie weit die Hubschrauber entfernt waren.
5 ob der Hubschrauber das Pferd nervös gemacht hat.

1 Wie weit waren Sie von Frau Elbrich entfernt, als der Unfall passierte? 2 Wo …?

> **Perfekt mit Modalverb**
> Ich habe an dem Hund vorbeilaufen müssen.
> = Ich musste an dem Hund vorbeilaufen.

▶ 6|21 e Partnerarbeit. Hören Sie Hannas Zeugenaussage und notieren Sie die Antworten zu den Fragen in d.

f Was meinen Sie? Hat Frau Elbrich eine Chance,
vom Militär Schadensersatz zu bekommen?
Warum? Warum nicht? Sprechen Sie.

Sie bekommt sicher Schadensersatz, weil …

Ich glaube nicht, dass …

AB **B2 Gerichtssaaljournalismus**

a Lesen Sie die Schlagzeilen zu zwei Zeitungsartikeln. Schreiben Sie die Fragen und
ordnen Sie jeweils die richtige Schlagzeile zu.

A *Sportlehrer als Lebensretter in der U-Bahn*

B *Sprung vom Balkon endete beinahe tödlich*

1 ☐A Wie lange (warten müssen) __hat__ die Frau auf die U-Bahn _____ _____?
2 ☐ Warum (springen wollen) _____ der Jugendliche vom Balkon _____?
3 ☐ Wie (retten können) _____ der Sportlehrer die Frau _____ _____?
4 ☐ Warum (warnen können) _____ der Hotelmanager die Jugendlichen nicht _____ _____?
5 ☐ Warum (stoppen können) _____ man den Zug nicht _____ _____?

b Partnerarbeit. Lesen Sie Text A, Ihre Partnerin / Ihr Partner liest Text B.
Stellen Sie sich vor, Sie sind eine Zeugin / ein Zeuge. Was haben Sie gesehen? Machen Sie Notizen.

A *Sportlehrer als Lebensretter in der U-Bahn*

„Es war unglaublich[1]. Die beiden sind beinahe
überfahren worden. Der Zug ist ja schon in die
Station gerollt[2]." Dutzende Fahrgäste haben am
Montagabend miterlebt, wie der 38-jährige Anton
5 J. einer Frau das Leben rettete. Von ihrem Schreck[3]
haben sie sich noch nicht ganz erholt.
Es war abends, kurz nach 19:00 Uhr. Maria G. wollte
wie jeden Tag mit der U-Bahn nach Hause fahren.
Sie war erschöpft und hatte sich schon den ganzen
10 Tag nicht wohlgefühlt. Wie immer war die U-Bahn-
Station um diese Zeit voller Menschen. Maria G.
hatte den letzten Zug knapp[4] verpasst. Der nächste
sollte in wenigen Augenblicken kommen. Sie stand
ganz vorne, nahe am Gleis. „Ich hörte noch die An-
15 sage ‚Zug fährt ein', doch dann wurde mir plötzlich
schwarz vor den Augen", sagte die Frau. „Als ich
wieder aufwachte, wurde ich von zwei Rettungs-
kräften versorgt[5]." Maria M. war auf die Gleise
gefallen, unglücklicherweise kurz bevor der Zug in
20 die Station einfuhr.
Der Sportlehrer Anton J. stand einige Meter neben
ihr. „Ich habe bemerkt, dass es ihr nicht gut ging
und habe augenblicklich reagiert", erklärte der
38-jährige Sportlehrer. Er ist körperlich gut in Form
25 und kräftig[6]. So konnte er zum Gleis hinunterspin-
gen und die Frau hinaufheben[7].
Vor Gericht muss geklärt werden, ob die Sicher-
heitsmaßnahmen[8] der U-Bahn-Gesellschaft ausreichend waren.

B *Sprung vom Balkon endete beinahe tödlich*

„Was soll ich machen? Ich kann meine Gäste doch
nicht daran hindern, sich in der Anlage frei zu
bewegen", klagt der Hotelmanager. In seiner
Ferienanlage ist es vor einigen Wochen zu einem
5 schweren Unfall gekommen. Jugendliche sind von
einem Balkon in den Swimmingpool gesprungen.
Ein Jugendlicher hat sich dabei lebensgefährlich
verletzt. „Es war offensichtlich ihr letzter Urlaubs-
tag", erzählt ein Feriengast. „Sie haben schon den
10 ganzen Tag Party gefeiert. Um 23:00 Uhr sind
dann einige Jungen vom Treppenhaus über die
Balkone in Richtung Pool geklettert. Ein Junge hat
die Entfernung zwischen zwei Balkonen falsch
eingeschätzt[10] und ist abgestürzt. Es war furcht-
15 bar." Einige Feriengäste, die von der Bar aus
die Aktion beobachtet hatten, handelten sofort
und riefen den Rettungsdienst. Der Sprung
vom Balkon in den Swimmingpool ist in vielen
Urlaubszentren zum Sport geworden. In vielen
20 Regionen gibt es aber inzwischen Gesetze, die
solche lebensgefährlichen Aktionen verhindern[11]
sollen.
„Ich muss mich doch auch um meine anderen
Gäste kümmern. Ich habe unserer Bedienung[12] im
25 Restaurant geholfen. Ich hatte den Jugendlichen
extra Zimmer im Erdgeschoss gegeben", versucht
der Manager seine Situation zu erklären, allerdings vergeblich[13]. Er und die Jugendlichen
bekamen hohe Geldstrafen.

[1] man kann es nicht glauben   [2] etw., das rund ist, bewegt sich   [3] plötzliche Angst   [4] kurz   [5] sich um jmdn. kümmern
[6] stark   [7] nach oben bewegen   [8] was für die Sicherheit getan wird   [10] hier: nicht genau messen   [11] etw. tun, damit etw. nicht passiert
[12] Kellner oder Kellnerin   [13] ohne Erfolg

A U-Bahn-Station, Zug in die Station gerollt, ... B Urlaub in einer Ferienanlage, 23:00 Uhr ...

c Partnerarbeit. Berichten Sie, was Sie in der U-Bahn (Text A) oder in der Ferienanlage (Text B) gesehen haben.
Ihre Partnerin / Ihr Partner stellt Fragen.

Warum ...? Wie ...? Wo ...? Wann ...? Woher ...? Welch-...? Was ...? Seit wann ...? Wie lange ...?

C1 Medien in den deutschsprachigen Ländern

▶ 6|22 **Hören Sie und ergänzen Sie. Kennen Sie noch andere deutschsprachige Zeitungen und Fernsehsender?**

ZDF   Kronenzeitung   ORF
RTL   ~~Bildzeitung~~   SRF
FAZ   Der Standard   NZZ
SAT. 1   ARD   Der Spiegel   ...

	Deutschland	Österreich	Schweiz
Tages- und Wochenzeitungen	Bildzeitung		
Fernsehsender			

AB ## C2 Gemeinsame Fernsehproduktionen

▶ 6|23 **a** **Lesen Sie und hören Sie den Text. Warum sehen manche Zuschauer den *Tatort* mit Untertiteln?**

Tatort – Ein Krimi und mehr als 100 Kommissare ...

Keine Sendung ist so beliebt wie der Fernsehkrimi. 19 Stunden pro Tag könnten Fans im deutschsprachigen Fernsehen Krimis sehen. Damit ist der
5 Krimi das beliebteste Genre im Fernsehen überhaupt. Die Zuschauer wissen, was sie erwartet: Ein Kommissar oder eine Kommissarin bringt für sie die Welt wieder in Ordnung, und das in höchstens 90 Minuten. Das
10 kann über die eigenen Probleme hinwegtrösten[1] und Sicherheit geben. Wie gut dieses gewohnte[2] Modell funktioniert, beweist jeden Sonntagabend die erfolgreichste Krimiserie im deutschsprachigen Fernsehen, der *Tatort*.
15 Als die Serie vor mehr als 30 Jahren von der ARD erfunden wurde, waren die Kritiker gar nicht begeistert. In jeder Folge arbeitet ein anderer Kommissar, jede Folge spielt in einer anderen Region, das geht normalerweise nicht gut, war damals ihre Meinung.
20 Doch genau diese Tatsache hat der Sendung den jahrzehntelangen Erfolg gesichert. Über 30 Tatortfolgen werden jedes Jahr gezeigt, und sie spielen alle in anderen Regionen. Das deutsche, österreichische und schweizerische Fernsehen beteiligt sich an der
25 Produktion. Darum gibt es auch Folgen, die in Österreich und in der Schweiz produziert werden. Die Menschen in der Region, ihre Sprache und örtliche Besonderheiten sind oft wichtiger als der Kriminalfall selbst. Manchmal wird da der bayrische oder
30 österreichische Dialekt in Norddeutschland nur schwer verstanden und umgekehrt. Dann können die Zuschauer die Krimis wie andere Fernsehsendungen

auch mit Untertiteln sehen. Beim Schweizer Tatort haben sich die Sender darauf geeinigt[3], dass die Folgen sowohl auf Schwyzerdütsch[4] als auch auf Hochdeutsch produziert werden. Immer wieder geht es um soziale Probleme und aktuelle gesellschafts-
40 politische Themen. Da kann es schon einmal geschehen, dass es wegen eines bestimmten Themas zu mehr oder weniger berechtigten[5] Protesten kommt. So wurden zum Beispiel die Arbeitsbedingungen in Discountmärkten (*Kassensturz*, 2009), Asyl-
45 und Migrationsthemen (*Wem Ehre gebührt*, 2007) oder Homosexualität (*Mord in der ersten Liga*, 2011) öffentlich diskutiert. Über 100 verschiedene Darsteller[6] haben inzwischen als Kommissare ihren Dienst angetreten. In den
50 ersten Jahren sah man ausnahmslos[7] männliche Polizeibeamte bei der Arbeit. Die Kommissare wurden damals oft wegen ihrer ruhigen und klugen[8] Arbeitsweise geschätzt. In den Achtzigerjahren wurde mit Kommissar Schimanski ein ganz anderer
55 Typ von Polizeibeamten geboren. Er zeigte offen seine Gefühle, wandte in seiner Arbeit immer wieder auch Gewalt an[9] und sagte von sich selbst: „Ich war zu feige, Verbrecher zu werden, jetzt bin ich Polizist." Seit den Neunzigerjahren arbeiten die
60 Kommissare meist in Teams, die heute oft von Frauen geleitet werden. Wegen ihrer Flexibilität[10] ist die Sendung zur erfolgreichsten Krimisendung geworden. Die derzeitigen Einschaltquoten zeigen, dass sie das sicher noch länger bleibt.

---

[1] helfen, wenn jmd. traurig ist   [2] wie es immer ist, man hat sich daran gewöhnt   [3] eine Lösung finden   [4] Schweizer Deutsch
[5] es gibt einen guten Grund dafür   [6] Schauspieler   [7] nur   [8] intelligent   [9] benutzen   [10] Fähigkeit, sich zu verändern

b **Lesen Sie den Text noch einmal. Ergänzen Sie die Fragen mit *warum* zu den Antworten.**

> Proteste und öffentliche Diskussionen geben
> ~~die Tatortkrimis so erfolgreich sein~~
> manche Zuschauer den Tatort mit Untertiteln sehen
> die Serie die erfolgreichste Krimisendung sein
> die Serie auch in Österreich und der Schweiz produziert werden

> **wegen + Genitiv**
> wegen ihrer klugen Arbeitsweise ≈
> weil sie klug arbeiten
> ⚠ oft auch wegen + Dativ (wegen dir)

1 _Warum sind die Tatortkrimis so erfolgreich_? Wegen der vielen Hauptdarsteller und Spielorte.
2 _____? Wegen der Beteiligung des ORF und des SFR an der Produktion.
3 _____? Wegen der unterschiedlichen Dialekte, die man in manchen Regionen nicht immer versteht.
4 _____? Wegen der aktuellen gesellschaftspolitischen Themen.
5 _____? Wegen ihrer Flexibilität.

AB **C3 Kommissarinnen und Kommissare im Tatort**

> **Nomen mit -heit, -keit**
> • das Kind, • die Kindheit
> freundlich, • die Freundlichkeit

a **Lesen Sie. Wie steht das im Text? Unterstreichen Sie und ordnen Sie zu.**

A Kommissar Moritz Eisner
Der österreichische Kommissar ist ein Einzelkämpfer und „einsamer Wolf". Wegen seiner Freundlichkeit vertrauen ihm einerseits die Menschen, andererseits macht er sich durch seine Ironie und seinen scharfen Witz Feinde.

B Kommissar Reto Flückiger
Der Schweizer Kommissar liebt ein freies und ungebundenes Leben, sein Segelboot und die Natur. Er hasst Unehrlichkeit. Es gibt öfter Konflikte mit seinen Chefs.

C Kommissarin Charlotte Lindholm
Die norddeutsche Kommissarin hat einen eher schwierigen Charakter. Daher wurde sie schon als Kind die „wilde Lotte" genannt. Ihre Chefs finden, ihre Teamfähigkeit ist gleich null. Sie hasst Papierkram, deswegen hinterlässt sie auf ihrem Schreibtisch meist ein Chaos.

1 _A_ arbeitet alleine.
2 ___ mag keine Lügner.
3 ___ hat Probleme mit den Chefs.
4 ___ ist nicht sehr ordentlich.
5 Manche Menschen mögen ___s Humor nicht.
6 ___ ist kein einfacher Mensch.

b **Partnerarbeit. Eine/Einer hat das Buch und fragt, die/der andere antwortet.**

Wer ist ein einsamer Wolf?

Moritz Eisner.

AB **C4 Wer war der Täter?**

▶ 6|24 a **Herr und Frau Schneider konnten den Fernsehkrimi nicht zu Ende sehen. Wer war der Täter / waren die Täter? Hören Sie und kreuzen Sie an.**

☐ Tims Halbbruder   ☐ die Kinderfrau   ☐ der Freund der Kinderfrau

▶ 6|24 b **Hören Sie noch einmal und ergänzen Sie die Antworten (1–5). Lesen Sie dann die Fragen (a–e). Welche Antwort passt zu welcher Frage? Ordnen Sie zu.**

→ *denn/deshalb*, Lektionen 5 + 6

1 Er brauchte Geld, _daher_ glaube ich, dass er es war.
2 _____ der Brieftasche, die sie am Tatort gefunden haben.
3 Er konnte nicht um 23:00 Uhr am Tatort sein. Da war er _____ mit seiner Freundin in der Disco.
4 Der wirkliche Täter hat sie dorthin gelegt, _____ er wollte, dass die Polizei Tims Halbbruder verhaftet.
5 Sie war wütend auf ihren Chef, _____ der wollte sie für den letzten Monat nicht bezahlen.

> **Warum? → ...**
> deswegen/daher/darum ≈ deshalb
> da ≈ weil
> wegen
> nämlich – steht nie am Satzanfang
> denn – steht immer am Satzanfang

a Warum war die Kinderfrau auch verdächtig? ☐
b Warum war Tims Halbbruder nicht der Täter? ☐
c Warum war die Brieftasche am Tatort? ☐
d Warum glaubt die Polizei zuerst, dass Tims Halbbruder der Täter war? ☐
e Warum glaubt Herr Schneider zuerst, dass Tims Halbbruder der Täter war? ☑ 1

GRAMMATIK

Verb

Perfekt mit Modalverb

	haben	2 x Infinitiv
ich	habe	
du	hast	
er/es/sie	hat	... vorbeilaufen müssen / ...
wir	haben	
ihr	habt	
sie/Sie	haben	

Präposition

kausal *(warum?)* – wegen + Genitiv*

Singular	
• maskulin	wegen des Hauptdarstellers
• neutral	wegen des Themas
• feminin	wegen ihrer Arbeitsweise
Plural	
•	wegen der Spielorte

* oft auch *wegen* + Dativ *(wegen dir)*

Nomen

Wortbildung *-heit, -keit*

• das Kind	• die Kindheit
freundlich	• die Freundlichkeit

Nomen auf *-heit/-keit* sind immer feminin.

> Ich habe dir leider nicht aufmachen können, der Krimi war gerade so spannend.

Satz

zweiteilige Konjunktion (2) – Bedeutung

Sie hatten	zwar	ihre Dokumente noch,	aber	ihre Geldbörsen waren weg.
Sie hatten	nicht nur	die U-Bahn-Station,	sondern auch	die Wohnhäuser ... mit Graffitis bemalt.

Nebensatz – Konjunktion *da*

	Konjunktion		Satzende
Tims Halbbruder hat Geld gestohlen,	da	er Geld	brauchte.

Konjunktionaladverbien – *deshalb, deswegen, daher, darum, nämlich*

		Position 2	
Er brauchte Geld,	deshalb/deswegen/daher/darum	hat	Tims Halbbruder das Geld gestohlen.
Tims Halbbruder brauchte Geld,	er	hat	deshalb/ deswegen/ daher/ darum * } das Geld gestohlen.
Tims Halbbruder hat das Geld gestohlen,	er	brauchte	nämlich** Geld.

* *deshalb / deswegen / daher / darum* können am Satzanfang oder auch im Satz stehen.

** *nämlich* kann nie am Satzanfang stehen.

(((REDEMITTEL

die eigene Meinung äußern

Ich finde, dass nicht nur ..., sondern auch ... / zwar ..., aber ...
Bei uns werden weder ... noch ... bestraft, das finde ich ...
Es ist zwar gut, wenn ..., aber ich finde es weniger gut, wenn ...
Entweder sollte man ... oder ...
Wenn jemand zum Beispiel ..., dann ...
Ich glaube nicht, dass ...

über ein Verbrechen berichten

Ich war Zeugin/Zeuge eines Verbrechens.
Ich habe die Straftat bei der Polizei angezeigt.
Die Polizei hat den Fall untersucht / Beweise gesammelt.
Sie haben mich / ... als Zeugin/Zeugen befragt.
Ich habe / ... hat eine Aussage gemacht.
Die/Der Verdächtige wurde festgenommen und angeklagt.
... hat eine Gefängnisstrafe /Geldstrafe bekommen.
Der Staatsanwalt und der Rechtsanwalt haben Beweise vorgelegt.
Die/Der Verdächtige ist freigesprochen worden.

Was liest du da?

• Collage

• Kunstinstallation

• Kunsthandwerk

• Auktion

• Schlange an der Kinokasse

Kunst und Geld

a Muss man für Kunst bezahlen? Was ist (beinahe) kostenlos?
Was kostet etwas? Machen Sie Notizen.

Literatur   Malerei/Bildhauerei   Theater/Oper   Film   Musik

(beinahe) kostenlos: Bücher in der Bibliothek ausleihen, eine Galerie besuchen
kostet etwas: ins Theater gehen, ...

b Lesen Sie. Wofür gibt Martin Geld aus?

Martin: Ich liebe Filme. Ich gehe mindestens einmal pro Woche ins Kino. Das ist zwar teuer, aber ich sehe die Filme viel lieber in einem großen Kinosaal als zu Hause. Im Kino ist nicht nur die Ton- und Bildqualität besser, sondern auch die Atmosphäre. Außerdem ist es mir wichtig, neue Filme möglichst früh zu sehen. Meine Freundin findet die Preise für Kinokarten zu hoch, deswegen kommt sie nicht immer mit. Sie sieht Filme lieber im Fernsehen. „Das ist kostenlos", sagt sie. Aber sie kauft gern CDs, und die sind auch nicht billig.

c Geben Sie Geld für Kunst und Kultur aus? Schreiben Sie einen Text über sich oder eine Bekannte / einen Bekannten mit Ihren Ideen aus **a** und sprechen Sie mit Ihrer Partnerin / Ihrem Partner.

Ich kaufe / interessiere mich für / liebe ...
Ich gebe ... für ... aus. Ich ... nämlich ...
Ich ... viel lieber als ... Am liebsten ...
... ist zwar teuer/..., aber ...
... ist nicht nur ..., sondern auch ...
Deswegen ... Mein Freund/Bruder/Kollege ...

Ich gebe oft Geld für ... aus.

Kaufst du auch manchmal ...?

SIE LERNEN

– Bankgeschäfte erledigen
– über Kunst sprechen
– über Erfahrungen sprechen

GRAMMATIK
– Infinitivsätze
  statt zu, ohne zu
– *nicht/kein-/nur/...*
  brauchen zu
– Reziprokpronomen
  -einander
– Konjunktion *falls*
– Konjunktionen
  sobald, solange
– Wiederholung:
  brauchen + Akk.;
  Infinitivsätze;
  Konjunktion *wenn*;
  nominalisierte Verben

WORTSCHATZ
– Kunst und Kultur
– Bank

AB **A1 Künstlerleben**

a **Lesen Sie die Bildunterschriften. Was meinen Sie?**
Welche Bildunterschrift passt am besten zum Bild? Ordnen Sie zu.

1 Manche Menschen wollen, dass künstlerische Produkte gratis im
Internet angeboten werden. Sie berücksichtigen dabei nicht, dass
die Künstler mit ihrer Arbeit auch ihr Leben finanzieren müssen.

2 Für ein paar tausend Euro kann man sich einen da Vinci oder
van Gogh anschaffen, allerdings nur als Kopie. Der Bedarf an den
kopierten Meisterwerken ist hoch.

3 Viele Künstler können sich ihr Künstlerleben nicht leisten. Von einer
großzügigen Sozialversicherung können sie oft nur träumen.

▶ 6|25 b **Lesen Sie und hören Sie den Text. Welche Bildunterschrift aus a (1–3) passt**
zu welchem Textabschnitt (A–C)? Ordnen Sie zu.

Kopierschutz in der Kunst

A ☐   Die Brüder Posin aus Berlin sind Künstler. Sie malen Bilder, und sie können gut davon leben. Bis zu 10 000 Euro
kostet eines ihrer Werke. Der Bedarf an ihren Bildern ist groß. <u>Statt eigene Motive zu malen,</u> kopieren sie nämlich
berühmte Meisterwerke aus der Kunstgeschichte. Und das machen sie sehr gut. Oft untersuchen Fachleute ihre
Kopien, ohne sofort die Unterschiede zu den Originalen zu erkennen. Kunstliebhaber brauchen ihren Klimt,
5 Picasso oder van Gogh also nicht teuer auf dem Kunstmarkt zu kaufen, sie können ihn einfach bei den Brüdern
Posin in Berlin bestellen. Statt 80 Millionen Euro und mehr auszugeben, können sie sich so (fast) dieselben
Bilder für ein paar tausend Euro anschaffen.
Um eine Kopie verkaufen zu dürfen, müssen auf jeden Fall zwei Bedingungen erfüllt[1] sein: Die Künstler, die das
Originalbild gemalt haben, müssen länger als 70 Jahre tot sein, und die Bilder müssen eine etwas andere Größe
10 haben als das Original. Außerdem werden alle Kopien auf der Rückseite als solche markiert. Diese Maßnahmen
reichen aus[2], um den Wert[3] der Originale zu schützen.

B ☐   Im Bereich der Musik, des Films und der Literatur ist es schwieriger, die Rechte von Künstlern zu schützen.
Statt CDs und DVDs zu kaufen, kann man digitale Daten heute relativ problemlos kopieren. Politische Gruppen
fordern sogar, künstlerische Produkte überhaupt kostenlos ins Internet zu stellen. Es wird dabei kaum berück-
15 sichtigt, dass Künstler vom Verkauf ihrer Kunstwerke leben müssen.

C ☐   Schon heute verdienen Künstler in Deutschland 40 Prozent weniger als der Durchschnitt der Bevölkerung[4].
Mehr als die Hälfte der Künstler kann sich ihr Künstlerdasein nicht leisten, ohne nebenbei[5] in einem Zweitjob
zu arbeiten. Das Geld, das durch einen guten Kopierschutz den Künstlern bleibt, könnte ihnen helfen, eine
großzügige Sozialversicherung zu finanzieren und so ihre Lebensgrundlage zu verbessern.
20 Vincent van Gogh malte seine Meisterwerke, ohne an eine Sozialversicherung zu denken. Auch Wolfgang
Amadeus Mozart und Franz Schubert mussten als Musiker ohne staatliche Förderung[6] und ohne ein garantiertes
Mindesteinkommen leben. Mozart starb mit 34 Jahren, Schuberts Leben endete mit 31. Vincent van Gogh hatte
sein ganzes Leben lang finanzielle Probleme. Van Gogh hat von seinen 1800 Zeichnungen und Bildern nur unge-
fähr[7] zehn verkauft. Er bekam dafür ein paar hundert Euro. Heute kostet jedes seiner Werke viele Millionen Euro,
25 und auch die Brüder Posin leben gut von ihren Kopien. Fair und gerecht[8] ist das wohl nicht.

[1] tun, was jmd. erwartet   [2] es ist genug   [3] wie viel etw. kostet   [4] Menschen, die in einer Stadt oder einem Land leben
[5] zusätzlich   [6] (meistens finanzielle) Hilfe, Unterstützung   [7] nicht genau   [8] richtig, fair

c **Was passt? Kreuzen Sie an.**

1 Die Brüder Posin ☐ haben eine eigene Maltechnik entwickelt.
☐ verkaufen ihre Bilder gut. ☐ können sich ihr Leben als Künstler nicht leisten.

2 Die Kopie eines berühmten Bildes darf man verkaufen, ☐ wenn der Wert des Originals dadurch steigt.
☐ wenn das Bild nicht genau gleich wie das Original aussieht. ☐ wenn der Maler noch nicht gestorben ist.

3 Künstler brauchen einen guten Kopierschutz, ☐ um von ihren Kunstwerken auch leben zu können.
☐ um leichter einen Zweitjob zu bekommen. ☐ damit jeder ihre Kunstwerke gratis genießen kann.

4 Vincent van Gogh ☐ hat mit seinen Bildern kaum Geld verdient.
☐ hatte eine gute Sozialversicherung. ☐ war Millionär.

d **Wie steht das im Text? Finden Sie die Sätze im Text und unterstreichen Sie** *statt ... zu ..., ohne ... zu ...* **und** *nicht brauchen ... zu ...*

→ *brauchen* + Akk., Lektion 3
→ Infinitivsätze, Lektion 17

1 Die Brüder Posin kopieren berühmte Meisterwerke.
  Was machen sie nicht? (Zeile 2–3)
2 Fachleute untersuchen die Kopien.
  Was gelingt ihnen nicht? (Zeile 3–4)
3 Kunstliebhaber bestellen bei den Brüdern Posin Bilder.
  Was brauchen sie nicht zu tun? (Zeile 4–6)
4 Heute braucht man digitale Daten bloß zu kopieren.
  Was muss man nicht mehr tun? (Zeile 13)
5 Vincent van Gogh malte Meisterwerke.
  Woran hat er dabei nicht gedacht? (Zeile 20)

Sie kopieren ..., statt **eigene** ... **zu** malen.
Er malte ..., **ohne an** ... **zu** denken.

Was **brauchen** sie nicht **zu** tun?
Man **braucht** ... bloß **zu** kopieren.

brauchen + zu + Infinitiv bei: *nicht, nie, kein-, nur, bloß, ...*

AB **A2 Kreativ leben**

a **Künstler leben anders. Ordnen Sie zu und schreiben Sie Sätze mit** *statt ... zu.*

1 zu Hause arbeiten
2 oft in der Nacht arbeiten
3 meistens ohne regelmäßiges Gehalt leben
4 selbstständig arbeiten
5 Kunst machen

a um 16:00 Uhr Feierabend haben
b Kunst konsumieren
c ~~jeden Tag ins Büro fahren~~
d die Aufträge einer Chefin oder eines Chefs erfüllen
e jeden Monat Geld bekommen

1c Künstler arbeiten oft zu Hause, statt ...   2... Sie ...

b **Partnerarbeit. Was glauben Sie: Welche Alternativen sind Ihrer Partnerin / Ihrem Partner lieber ☺?** **Ergänzen Sie und sprechen Sie dann. Finden Sie weitere Sätze.**

1 Theater spielen   ○ – ins Theater gehen   ☺
2 selbst kochen   ○ – Fastfood essen   ○
3 ins Konzert gehen   ○ – selbst Musik machen   ○
4 die Wände streichen ○ – einen Maler beauftragen ○
5 selbst ein Haus bauen ○ – ein Haus kaufen   ○
6 DVDs ansehen   ○ – einen Videofilm machen ○
7 eigene Texte schreiben ○ – Bücher lesen   ○
8 eine Sprache lernen ○ – Bücher in Übersetzungen lesen ○

Ich glaube, du gehst lieber ins Theater, statt Theater zu spielen.

Ich gehe zwar oft ins Theater, aber ...

AB **A3 Das tut man nicht ...**

a **Ordnen Sie zu und schreiben Sie Sätze mit** *ohne ... zu ...*

1 Herr Beck geht ins Theater,   [f]
2 Herr Berger holt im Theater seinen Mantel,
3 Frau Lechner schimpft auf moderne Kunst,
4 Sabrina veröffentlicht die Gedichte ihres Bruders im Internet,
5 Herr Holzer fordert seine Cousine zum Tanzen auf,
6 Michaela wechselt in der Konzertpause vom Stehplatz auf einen Sitzplatz,

a der Garderobenfrau / Trinkgeld geben
b ihren Bruder / um Erlaubnis fragen
c eine teurere Karte / kaufen
d tanzen / können
e moderne Kunstwerke / kennen
f ~~einen Anzug und eine Krawatte / tragen~~

1f Herr Beck geht ins Theater, ohne einen Anzug und eine Krawatte zu tragen. 2...

b **Partnerarbeit. Diskutieren Sie über die Situationen in a. In welchen Situationen** **verhalten die Personen sich falsch, in welchen Situationen kann man das Verhalten akzeptieren?** **Schreiben Sie Sätze mit** *nicht/kein- brauchen + zu* **oder** *sollte* **und begründen Sie.**

1 Wenn Herr Beck eine saubere Hose und ein Hemd trägt, braucht er keinen Anzug und keine Krawatte zu tragen. / Herr Beck sollte im Theater einen Anzug tragen, weil ...

Es ist üblich, dass man ...

Ich finde, dass ...

AB **B1 Geld sparen und Geld ausgeben**

a **Geld leihen (A) oder Geld sparen (B)? Was passt wo? Ordnen Sie zu.**

[A] einen Kredit aufnehmen ☐ Sicherheiten bieten
☐ Münzen und Geldscheine sammeln
☐ ein Sparbuch eröffnen oder auflösen
☐ einen Kredit bewilligen
☐ einen Risikozuschlag zahlen müssen
☐ einen Betrag auf ein Sparbuch einzahlen
☐ monatlich Geld auf ein Sparkonto überweisen
☐ Schulden haben ☐ (hohe) Zinsen bekommen
☐ Wertpapiere kaufen ☐ Zinsen zahlen
☐ die Laufzeit des Kredits von einem
   Kundenbetreuer berechnen lassen

Geld leihen   Geld sparen

▶ 6|26 b **Hören Sie und vergleichen Sie.**

c **Partnerarbeit. Geld in der Beziehung. Was meinen Sie?**
Was kostet Geld, was spart Geld? Ordnen Sie zu und diskutieren Sie.

a füreinander kochen b miteinander leben c füreinander Geschenke kaufen
d miteinander Kinder haben e miteinander ein Konto haben
f miteinander die Wohnung einrichten g wieder auseinander ziehen
h voneinander Geld leihen i miteinander ein Auto haben
j gegeneinander einen Scheidungsprozess führen

Er kocht für sie.

Sie kocht für ihn.
Sie kochen füreinander.

Das kostet Geld.							a	Das spart Geld.

Füreinander kochen spart
sicher Geld, weil ...

AB **B2 Der Kredit**

▶ 6|27 a **Sehen Sie das Bild an und hören Sie Teil 1 des Dialogs.**
Was will Herr Fuchs von der Bank und warum?

BANKHAUS KONRAD
―――――――――――――
Brauchen Sie einen günstigen Kredit?
Miteinander finden wir sicher eine Lösung ...

▶ 6|27 b **Hören Sie noch einmal und ergänzen Sie die Wörter**
mit -einander.

Ich arbeite an einer Serie von Bildern zum Thema Liebe. Es geht darum, wie Menschen __zueinander__ finden,
wie sie _____ da sind, wie sie _____ lernen. Aber ich zeige auch, wie aus dem M_____
ein G_____ wird, wie Menschen _____ gehen und wie ...

▶ 6|28 c **Hören Sie Teil 2 des Dialogs und beantworten Sie die Fragen.**

1 Welches Einkommen hatte Herr Fuchs in den letzten Jahren?
2 Welche Sicherheiten kann er der Bank bieten?
3 Wie lange soll die Laufzeit für den Kredit sein?
4 Was glauben Sie? Bekommt Herr Fuchs den Kredit?
5 Stellen Sie sich folgende Situation vor: Herr Fuchs bekommt 30 000 Euro Kredit, muss fünf Prozent Zinsen
  und einen Risikozuschlag von zwei Prozent zahlen. Die Laufzeit des Kredits beträgt fünf Jahre, die monat-
  lichen Raten betragen 591 Euro. Wie viel Geld müsste Herr Fuchs der Bank insgesamt zurückzahlen?

d Partnerarbeit. Bereiten Sie Ihre Rolle (A oder B) mithilfe der Redemittel vor. Spielen Sie dann das Rollenspiel.

A Sie brauchen einen Kredit. Sie gehen zu Ihrer Bank.
B Sie arbeiten in einer Bank. Jemand möchte einen Kredit.

A
- *Ich brauche einen Kredit.*
- *... €.*
- *Ich brauche ... / Ich möchte ... kaufen.*
- *So lange wie möglich. / ... Jahre.*
- *... € monatlich / im Monat.*
- *... €. / Ich habe kein regelmäßiges Einkommen.*
- *Ich habe eine Lebensversicherung / ein Haus /...*
- *Wie hoch sind die Zinsen?*
- *Bekomme ich den Kredit?*

B
- *Wie hoch soll der Kredit sein?*
- *Wofür wird das Geld benötigt?*
- *Wie lange soll die Laufzeit sein?*
- *Wie viel soll monatlich zurückgezahlt werden?*
- *Wie hoch ist das regelmäßige Einkommen?*
- *Welche Sicherheiten gibt es?*
- *Hmm ... Eine Lebensversicherung /...*
- *... Prozent.*
- *Ich weiß es leider noch nicht.*
  Wir geben Ihnen in den nächsten Tagen Bescheid.

AB **B3 Der Ausstellungsbesuch**

▶ 6|29 **a** Hören Sie. Albert war mit Mona in einer Ausstellung.
Wie wollte Albert die Bilder sehen?
Wie hat Mona die Bilder gesehen?
Ergänzen Sie die Namen.

1 _____ wollte die Bilder auf sich wirken lassen.
2 _____ wollte die Bilder analysieren.

Albert, Mona

▶ 6|29 **b** Hören Sie noch einmal. Ordnen Sie zu und schreiben Sie
die Sätze mit *wenn*.

→ Nebensatz Konjunktion *wenn*, Lektion 12

1 Falls du mit Mona gehst,
2 Sehe ich ein Bild, das mir gefällt,
3 Sieht sie ein Bild,
4 Begleitest du sie auf die Ausstellung,
5 Falls man das Bild kaufen will,

a (dann) musst du alle ihre Fragen beantworten.
b (dann) solltest du dir viel Zeit nehmen.
c (dann) können solche Fragen nützlich sein.
d (dann) lasse ich das Bild auf mich wirken.
e (dann) muss sie es ganz genau analysieren.

1 Wenn du mit Mona ...

Falls du mit Mona zur Ausstellung gehst,
solltest du dir viel Zeit nehmen.

Gehst* du mit Mona zur Ausstellung,
solltest du dir viel Zeit nehmen.

* manchmal auch
ohne *falls/wenn*

c Sehen Sie die Bilder an. Wählen Sie ein Bild aus und beantworten
Sie mindestens drei Fragen. Machen Sie Notizen.

1 Was sehen Sie als Erstes? Warum haben Sie genau das als Erstes gesehen?
2 Welche Farbe ist in dem Bild besonders wichtig und welche Farbe
kommt kaum vor?
3 Was passiert auf dem Bild? Bewegen sich Dinge schnell oder langsam?
Woher wissen Sie, ob sich etwas schnell oder langsam bewegt?
4 Finden Sie das Bild realistisch oder unrealistisch? Warum?
5 Falls Sie in dem Bild eine Idee oder ein Gefühl erkennen können:
Welche Hinweise helfen Ihnen, diese Idee oder dieses Gefühl zu erkennen?
6 Falls Sie den Künstler fragen könnten, wie er das Bild gemalt hat:
Welche Fragen würden Sie stellen?
7 Wenn Sie das Bild kaufen wollten, überlegen Sie sich genau:
Wie viel würden Sie dafür bezahlen? Warum?

A

B

d Partnerarbeit. Sprechen Sie über Ihre Antworten.

Was siehst du ...?

C

a Lesen Sie die Einträge im Forum. Wer hat gern ☺ / nicht gern ☹ lesen gelernt? Ergänzen Sie.

WIE HABEN SIE LESEN GELERNT, WAS BEDEUTET LESEN FÜR SIE HEUTE?

○ gerry3: Wir haben in der Schule keine einzelnen Buchstaben gelernt, sondern sofort ganze Wörter. Wir hatten farbige Kärtchen, die man ganz gut unterscheiden[1] konnte: Verben waren weiß, Nomen blau, Adjektive rot und alle anderen Wörter grün. Die Lehrerin hat uns auf-gefordert[2], mit diesen Kärtchen sinnvolle[3] Sätze zu legen. <u>Solange ich Wörter wiedererkannte, konnte ich ganz gut lesen,</u> auch wenn ich manchmal Wörter verwechselte[4]. Sobald ich aber ein neues Wort lesen musste, konnte ich es nicht buchstabieren. Ich war ziemlich deprimiert und fand das Lesen nicht interessant. Auch heute sehe ich lieber fern als ein Buch zu lesen.

○ conny: Bevor ich in die Schule kam, konnte ich bloß meinen Namen lesen und schreiben. Aber sobald wir die ersten Buchstaben gelernt hatten, habe ich alle diese Buchstaben in meinen Bilderbüchern unterstrichen. Die Bilderbücher kannte ich auswendig, und so habe ich auch schnell und ohne Mühe die anderen Buchstaben gelernt. Bald konnte ich fließend[5] lesen. In der Schule habe ich mich gern zum Vorlesen gemeldet. Solange ich etwas zu lesen hatte, war ich glücklich. Lesen fand ich einfach herrlich[6], und das ist bis heute so geblieben.

○ jan02: Ich habe erst als Erwachsener richtig lesen gelernt. Solange ich in die Schule ging, habe ich mich vor dem Lesen gefürchtet[7]. Ich habe mir die Buchstaben nicht gemerkt und längere Wörter waren überhaupt unerträglich[8] für mich. Ich habe sehr schlecht gelesen und hatte daher auch Probleme, einen Job zu finden. Das Arbeitsamt hat mich dann in einen Lesekurs geschickt. Ich konnte da einiges nachholen und habe mich sicher verbessert. Aber sobald ich einen schwierigen Text lesen muss, bekomme ich noch immer Angst. Genau wie in der Schule.

[1] einen Unterschied sehen [2] jmdm. sagen, was sie/er tun soll [3] etw. hat eine Bedeutung/Sinn; ↔ sinnlos
[4] etw. nicht unterscheiden können [5] schnell, ohne Pausen und Fehler [6] wunderschön [7] Angst haben [8] schrecklich, furchtbar

b **Wer schreibt das? Ergänzen Sie die Forumsnamen.**

1 ___Conny___ liest gern.
2 _____ hat sofort ganze Wörter gelernt.
3 _____ hat zuerst einzelne Buchstaben gelernt.
4 _____ hat Angst vor dem Lesen.

c **Partnerarbeit. Sprechen Sie über die Fragen.**

1 Wie haben Sie lesen gelernt?
2 Haben Sie als Kind gern gelesen? Wenn ja, was?
3 Wie wichtig ist Lesen für Ihren Beruf?
4 Was lesen Sie heute beruflich und privat?

d **Ordnen Sie die richtige Bedeutung zu und unterstreichen Sie die Sätze mit** *sobald* **und** *solange* **in den Texten.**

1 Sobald ich lesen konnte, war ich glücklich. ☐
2 Solange ich lesen konnte, war ich glücklich. ☐

a Ich habe lesen gelernt, danach war ich glücklich.
b Während der Zeit, in der ich lesen konnte, war ich glücklich.

e **Partnerarbeit. Wählen Sie vier Satzanfänge. Schreiben Sie jeweils eine Ergänzung auf einen Zettel wie im Beispiel. Ihre Partnerin / Ihr Partner liest die Ergänzungen und rät den richtigen Satzanfang.**

1 Solange das Wetter beim Open-Air-Festival so schlecht bleibt, …
2 Sobald die Musiker in der dritten Etage ausgezogen sind, …
3 Solange meine Lieblingsserie im Fernsehen läuft, …
4 Sobald ich das Buch zu Ende gelesen habe, …
5 Solange ich dem Klavierspieler zuhöre, …
6 Solange ich an dem Bild male, …
7 Sobald der Film zu Ende ist, …
8 Sobald ich gut Gitarre spielen kann, …

… sitze ich freitagabends vor dem Fernseher.

Ich glaube, du sitzt jeden Freitag vor dem Fernseher, solange deine Lieblingsserie läuft.

Genau.

AB **C2 Lesen heute**

a **Lesen Sie die Sätze zum Interview mit dem Leseexperten Dr. Besenböck. Welche Aussage ist vielleicht richtig? Was glauben Sie? Unterstreichen Sie.**

> **Zehn vor zehn – Expertengespräche**
> Der Leseexperte Dr. Besenböck beschreibt, wie sich die Bedeutung des Lesens in den letzten 20 Jahren geändert hat.

1 Früher
☐ war das Lesen für den Beruf nicht so wichtig.
☐ war das Lesenlernen schwieriger.
☐ gab es mehr Arbeitslose.

2 Das Fernsehen
☐ ist anstrengender als das Lesen. ☐ macht das Lesenlernen schwieriger. ☐ produziert gute Jugendfilme.

3 In der Schule liest man einfache Texte, weil
☐ die Schüler Originaltexte nicht verstehen. ☐ sie kürzer sind. ☐ Literatur nicht mehr so wichtig ist.

4 Wir lesen,
☐ weil es Spaß macht. ☐ weil wir das Lesen im Alltag brauchen. ☐ weil wir uns weiterbilden wollen.

5 Viele Erwachsene können nicht gut lesen,
☐ weil sie das Lesen nicht üben. ☐ weil sie arbeitslos sind. ☐ weil sie sich alles vorlesen lassen.

▶ 6|30 b **Hören Sie das Interview und kreuzen Sie die richtigen Aussagen in a an.**

AB **C3 Vor, nach und beim ...**

a **Partnerarbeit. Was passt für Sie am besten? Ordnen Sie die Verben den Themen zu.**
Finden Sie für jedes Thema mindestens drei weitere Verben. Suchen Sie auch im Wörterbuch.

vorlesen hochladen ausschalten reinigen fotografieren schwitzen nähen dekorieren
installieren umrühren fangen einrichten föhnen schminken tippen gießen verreisen
staubsaugen googeln losfahren sich ausziehen ausstellen buchen mailen

1 Kunst und Kultur: **vorlesen,** ... 3 Körperpflege: ... 5 Sport/Hobby: ...
2 Reisen: ... 4 Computer: ... 6 Haushalt: ...

▶ 6|31 b **Lesen Sie die Texte und ergänzen Sie. Hören und vergleichen Sie.**
→ nominalisierte Verben, Lektion 12

Musikhören Zähneputzen Föhnen Fernsehen ~~Malen~~ Abfliegen
Lesen Einchecken Ankommen Haarewaschen

A

Beim _____ ärgere
ich mich über den Autor,
beim _____ ärgere
ich mich über die Sänger,
beim _____ ärgere
ich mich über die Schauspieler,
beim Malen _____ ärgere
ich mich über mich selbst.
In der Kunst ist mir nämlich
nichts gut genug.

B

Nach dem _____ freue
ich mich auf den Abflug,
nach dem _____ freue
ich mich auf das Ankommen,
nach dem _____ freue
ich mich auf das Hotel.
Im Hotel freue ich mich auf den
Urlaub.

C

Vor dem _____ suche
ich mein Shampoo,
vor dem _____ suche
ich den Föhn,
vor dem _____ suche
ich die Zahnbürste.
Am Morgen bin ich nicht ich
selbst.

c **Schreiben Sie kurze Texte wie in b. Suchen Sie einen guten Schlusssatz.**

Beim/Vor/Nach ... denke ich an ... / träume ich von ... / wundere ich mich über ... / sammle ich ... /
vergesse ich ... / wünsche ich mir ... / rufe ich ... an. /...

d **Schreiben Sie die Texte aus b auch mit sobald, nachdem, bevor oder wenn ...**

Wenn ich ein Buch lese, ärgere ich mich ... I Sobald ich eingecheckt habe, freue ich mich ...
Bevor ich mir die Haare waschen kann, muss ich ... / suche ich ...

GRAMMATIK

Nomen

Reziprokpronomen *einander, miteinander/...*

> Sie kaufen einander Geschenke. *
> Sie kochen füreinander.**
> Sie leben miteinander.***

*   A kauft B ein Geschenk. B kauft A ein Geschenk.

**   A kocht für B. B kocht für A.

*** A lebt mit B. B lebt mit A.

Satz

Sätze mit *statt zu, ohne zu* + Infinitiv

		Satzende
Die Brüder Posin kopieren Gemälde,	statt eigene Motive	zu malen.
Vincent van Gogh malte Meisterwerke,	ohne an Geld	zu denken.

	Satzende	
Statt eigene Motive	zu malen,	kopieren die Brüder Posin Gemälde.
Ohne an Geld	zu denken,	malte Vincent van Gogh Meisterwerke.

Sätze mit *statt zu, ohne zu* + Infinitiv + Modalverb

		Satzende
Oft untersuchen Fachleute Kopien,	ohne Unterschiede erkennen	zu können.

Sätze mit *brauchen + nicht/kein-/nie + zu* + Infinitiv*

> Was brauchen sie nicht zu tun?
> Sie brauchen keinen Anzug zu tragen.

* = nicht/... müssen

Sätze mit *brauchen + nur/bloß + zu**

> Man braucht ... nur/bloß zu kopieren.

* = nur/bloß ... müssen

Nebensatz – Konjunktion *falls* (Bedingung)

Konjunktion		Satzende	
Falls*	du mit Mona zur Ausstellung	gehst,	(dann) solltest du dir viel Zeit nehmen.

* = *wenn*

manchmal auch ohne *falls/wenn:* Gehst du mit Mona zur Ausstellung, (dann) solltest du dir viel Zeit nehmen.

Nebensatz – Konjunktionen *sobald, solange* (temporal)

Konjunktion		Satzende	
Sobald	ich lesen	konnte,	war ich glücklich.
Solange	ich an dem Bild	male,	darf mich niemand stören.

(((REDEMITTEL

beim Kundenbetreuer

Ich brauche einen Kredit.
Wie hoch soll der Kredit sein?
Wofür wird das Geld benötigt?
Ich brauche ... | Ich möchte ... kaufen.
Wie lange soll die Laufzeit sein?
So lange wie möglich. / ...
Wie viel soll monatlich zurückgezahlt werden?
Wie hoch ist das regelmäßige Einkommen?
Welche Sicherheiten gibt es?
Ich habe eine Lebensversicherung / ein Haus /...

Wie hoch sind die Zinsen? | ... Prozent.
Bekomme ich den Kredit?
Ich weiß es leider noch nicht. Wir geben Ihnen in den nächsten Tagen Bescheid.

ein Bild analysieren

Als Erstes sehe ich ... / habe ich ... entdeckt.
Die Dinge auf dem Bild bewegen sich sehr schnell /...
Das habe ich als Erstes gesehen, weil ...
Auf dem Bild ist die Farbe ... besonders wichtig.
Die Farbe ... kommt kaum vor.

Auf dem Bild passiert sehr viel/wenig.
Das Bild ist realistisch/unrealistisch.
Ich würde den Künstler gern fragen, ob / wie / warum / wie lange /...

über Lernerfahrungen sprechen

Ich habe schon als Kind lesen/... gelernt.
Ich habe zuerst die Buchstaben / sofort ganze Wörter ... gelernt.
Zuerst hatte ich Angst vor dem Lesen /...
Danach habe ich sehr gern gelesen /...
Für meinen Beruf ist Lesen/... (nicht) wichtig.
Beruflich/Privat lese ich heute ...

Hättest du
anders
gehandelt?

• Friedensdemonstration

Ihre Stimme zählt! ☒

• Wahlen

• Hochwasser

• Europaparlament

• Berliner Mauer

Wo warst du, als …?

a Wichtige Ereignisse der letzten zehn Jahre. Wie haben Sie davon erfahren?
Wo waren Sie da? Was haben Sie gemacht? Machen Sie Notizen.

Politik: Wahl des …
Sport: Fußballwelt-
meisterschaft
Katastrophen: Flugzeug-
absturz, Hochwasser in …

Technik/Naturwissenschaften:
neues Medikament gegen … entwickelt,
… gegründet, … erfunden, … entdeckt, …
Kunst/Kultur: Konzerttournee von …,
Ausstellung in … eröffnet

b Lesen Sie. An welche Ereignisse erinnert Saskia sich? Wo war sie damals?

Saskia: Ich kann mich noch gut an das Hochwasser in Nordindien
erinnern. Meine Schwester musste damals beruflich in diese Region
reisen. Wir haben noch am Vorabend miteinander telefoniert und
dann haben wir in den Nachrichten von dem Hochwasser gehört.
Solange wir von Irene nichts gehört haben, haben wir uns wirklich
große Sorgen gemacht. Doch dann hat sie sich gemeldet.
Als meine Lieblingssängerin gestorben ist, war ich gerade auf einem Familienfest.
Meine Freundin hat mich angerufen und mir davon erzählt. Statt am nächsten Tag
mit der Familie wandern zu gehen, bin ich zu meiner Freundin gefahren. Wir haben
den ganzen Abend die CDs meiner Lieblingssängerin gehört.

c Schreiben Sie zwei kurze Texte zu Ihren Ideen aus **a** und sprechen Sie
mit Ihrer Partnerin / Ihrem Partner.

Ich kann mich noch gut an … erinnern. Als … war ich …
Ich habe von … aus dem Radio / über das Fernsehen / von … erfahren.
Sobald …, habe/bin ich … Statt/Ohne … zu …, habe/bin ich …

Ich war damals …

Wie hast du von …
erfahren?

SIE LERNEN

– *über vergangene Ereignisse*
 spekulieren
– *diskutieren, argumentieren*
– *ein politisches System*
 beschreiben

GRAMMATIK
– Adjektivdeklination (4)
– Konjunktiv II –
 Vergangenheit
 (irreale/r Bedingung/
 Wunsch/Vergleich)
– *als ob*
– Partizip I + II als Attribut
– Nominalisierung
 Partizipien
– Wiederholung:
 Adjektivdeklination;
 Konjunktiv II; Partizip II

WORTSCHATZ
– politische Systeme

AB **A1 Die Mauer**

a **Lesen Sie den Text und machen Sie Notizen zu den Jahreszahlen.**

Die Berliner Mauer

Nach dem Zweiten Weltkrieg wurde Deutschland 1945 in vier Besatzungs-
zonen geteilt. Berlin lag in der sowjetischen Zone[1]. Der Westteil der Stadt
wurde von den Amerikanern, Franzosen und Briten verwaltet[2]. 1949 wurden
die DDR (Deutsche Demokratische Republik) und die BRD (Bundesrepublik
Deutschland) gegründet. Die DDR entstand auf dem Gebiet der sowjetischen
Besatzungszone, die anderen Zonen wurden zur BRD. Ab diesem Zeitpunkt gab es also zwei deutsche Staaten.
Der Ostteil Berlins gehörte zur DDR, der Westteil zur BRD. Im Jahr 1961 wurde zwischen Ost- und Westberlin
eine Mauer gebaut. 1989 fiel die Berliner Mauer und die beiden deutschen Staaten wurden wiedervereinigt.

[1] Bereich   [2] hier: das öffentliche Leben organisieren (Verwaltung)

1945: Ende des Zweiten Weltkriegs   1949: ...   1961: ...   1989: ...

▶ 7|1 b **Lesen Sie und hören Sie den Text. Was ist an der Beziehung zwischen Elias und Annette besonders?**

Liebe kennt keine Grenzen

Elias ist die Strecke schon so oft gefahren. Doch
wenn die U-Bahn an der Station Berlin Friedrich-
straße hält, spürt er immer noch die innere Unruhe
von damals. 28 Jahre lang war hier sein Berlin zu
Ende, begann hier das Berlin von Annette. Er hatte
Annette im Jahr 1959 bei einem Kinobesuch kennengelernt. Sie verliebten sich ineinander, die
Grundschullehrerin aus der DDR und der Handels-
vertreter aus der BRD. Ein Jahr später wurde geheiratet und sie begannen, in Westberlin eine Wohnung
zu suchen. Doch dann kam die Katastrophe des
13. August 1961. Als Elias die Grenze überqueren[1]
wollte, wurde er aufgehalten. Zuerst hatte er an
ein Missverständnis[2] gedacht, doch über die Radio-
nachrichten erhielt er die Bestätigung[3]: Er durfte
zunächst nicht mehr zu Annette zurück. Hätten sie
damals rechtzeitig eine gemeinsame Wohnung in
Westberlin gefunden, wären die Behörden[4] macht-
los[5] gewesen, aber so ... Doch vielleicht wäre Annette
überhaupt nicht zu ihm nach Westberlin gezogen.
Sie liebte ihren Beruf. Sie stammte[6] aus dem Osten
und lebte gern dort. Hätte er sie verstanden? Hätte
er ihr Vorwürfe[7] gemacht?
Natürlich schrieben sie sich, sie telefonierten miteinander und an den Feiertagen durfte Elias sie
besuchen. Aber eigentlich warteten sie nur auf den
Sommer. Da trafen sie sich heimlich in Ungarn.
Annette leitete dort ein Jugendlager. Er erinnert
sich noch gut an den Geschmack frischer Kuhmilch

Elias

am Morgen und den Anblick wilder Pusztapferde.
Immer wieder sprachen sie damals über die Möglichkeiten, ein gemeinsames Leben als Ehepaar zu
führen. Er hätte eine Einreisegenehmigung in die
DDR beantragen können. Aber er hätte dann seinen
Beruf einschließlich seiner Geschäftskontakte und
Freunde aufgeben müssen, und das wollte er nicht.
Eine Flucht[8] in den Westen wäre für Annette viel
schwieriger gewesen. Ihre Ehe war in der DDR nicht
illegal[9], aber man empfahl ihr, sich scheiden zu
lassen. Annette weigerte sich. Wie hätte er reagiert,
wenn sie sich für die Scheidung entschieden hätte?
Er will gar nicht daran denken. Sie haben viel ver-
säumt. Sie hätten Kinder haben können, sie hätten
sich um die gemeinsame Erziehung[10] der Kinder
kümmern können, sie wären auf Reisen gegangen,
doch so ... Und dann kam das Jahr 1989. Plötzlich
war die Mauer weg, die DDR existierte nicht mehr.
Nach 28 Jahren konnten sie endlich zusammen
leben. Anfangs mussten sie sich erst wieder anein-
ander gewöhnen. Doch es war schön, wunderschön
sogar. Ihre Liebe hatte doch noch über die politischen Ereignisse gesiegt.

[1] über etw. (z. B. eine Straße) gehen/fahren/...   [2] ↔ Verständnis, missverstehen   [3] Erklärung, dass etw. richtig ist
[4] Amt   [5] man kann etw. nicht beeinflussen, ohne Macht   [6] kommen aus   [7] jmdm. sagen, dass sie/er einen Fehler gemacht hat
[8] wenn jmd. flieht   [9] verboten, gegen das Gesetz   [10] wie z. B. Eltern ihre Kinder behandeln; (erziehen)

c **Partnerarbeit. Ordnen Sie die Stichwörter und erzählen Sie dann die Geschichte von Annette und Elias.**

☐ Heirat und Wohnungsuche   ☐ Jugendlager in Ungarn
☐ Fall der Berliner Mauer 1989   [1] Kinobesuch 1959   ☐ Bau der Berliner Mauer

*Annette und Elias haben
sich ... kennengelernt.*

d Partnerarbeit. Schreiben Sie Sätze wie im Beispiel und erzählen Sie von Ihren Erinnerungen.

→ Adjektivdeklination, Lektionen 15 + 17

~~frische • Brötchen~~   süßer • Kakao   seltene • Gewürze
laute • Kirchenglocken   reife • Aprikosen   fettes • Fleisch
spitze • Akkupunkturnadeln   verrückte • Frisuren
karierte • Taschentücher   warme, lange • Strümpfe
leckere • Salatsoßen   dicke • Romane ...

Der Anblick ...
Der Geruch ...
Der Geschmack ...   erinnert mich an ...
Der Klang / Das Geräusch ...

> **Adjektivdeklination (4) im Genitiv**
> **Hauptregel (HR):** meistens -en
> der Geruch frisch**en** Brotes, der Anblick einer
> klein**en** Maus, der Klang ihrer tief**en** Stimmen, ...
> Aber ⚠:
> **Singularregel 4 (SR4)** Genitiv nach Nullartikel
> der Geschmack frisch**er** • Milch
> **Pluralregel 2 (PL2)** Genitiv nach Nullartikel
> der Anblick wild**er** • Pusztapferde

Der Geruch frischer Brötchen erinnert mich an die Bäckerei neben unserem Haus.

AB **A2 Versäumte Chancen**

a Lesen Sie den Satz und beantworten Sie die Fragen.

<u>Hätten</u> sie eine gemeinsame Wohnung in Westberlin <u>gefunden</u>, <u>wären</u> die Behörden machtlos <u>gewesen</u>.

	ja	nein
1 Haben sie eine gemeinsame Wohnung gefunden?	☐	☐
2 Sind die Behörden machtlos gewesen?	☐	☐

> **Konjunktiv II der Vergangenheit**
> **(irreale Bedingung)**
> Wenn sie eine Wohnung gefunden hätten,
> wären die Behörden machtlos gewesen.
> Hätten sie eine Wohnung gefunden,
> wären die Behörden machtlos gewesen.
> **Wunsch**
> Hätten wir doch eine Wohnung gefunden!

b Was wäre möglich gewesen, wenn es die Mauer nicht gegeben hätte? Schreiben Sie Sätze.

1 Annette und Elias hatten keine Kinder.
2 Sie haben nie gemeinsam Geburtstag gefeiert.
3 Sie sahen sich nur zwei Wochen im Jahr in Ungarn.
4 Sie konnten nicht gemeinsam reisen.
5 Sie sind nie gemeinsam ausgegangen.
6 Sie mussten sich Briefe schreiben.

1 Wenn es die Mauer nicht gegeben hätte, hätten Annette und Elias Kinder gehabt. 2 ...

A3 Dann wäre alles anders gekommen ...

▶ 7|2, 3 **a** Hören Sie und ergänzen Sie. Welches Bild passt zu welchem Satz? Ordnen Sie zu.

1 ☐ Hamida: Wenn mein Vater nicht _____ _____
_____ _____, wäre ich in _____ _____
_____ und alles _____ anders _____.

2 ☐ Lukas: Wenn meine Großeltern damals wirklich _____
_____, wäre ich wohl Kanadier oder _____.

A

B

▶ 7|2, 3 **b** Was wäre anders gekommen? Hören Sie noch einmal und schreiben Sie weitere Sätze im Konjunktiv II der Vergangenheit.

1 Hamida wäre in der Türkei aufgewachsen. Sie ...
2 Lukas wäre ... Seine Großeltern ... Seine Mutter ...

c Denken Sie an fünf Situationen, die wichtige Folgen für Ihr Leben hatten. Schreiben Sie den Anfang von *wenn*-Sätzen.

Wenn mein Vater mich nicht zu einem Eishockeyspiel mitgenommen hätte, ...
Wenn ich nicht zu Alexanders Party gegangen wäre, ...

d Partnerarbeit. Lesen Sie die Satzanfänge Ihrer Partnerin / Ihres Partners und versuchen Sie, das Ende der Sätze zu erraten.

Wenn dein Vater dich nicht zu einem Eishockeyspiel mitgenommen hätte, hättest du nie Eishockey gespielt.

AB B1 Mitbestimmung im Betrieb – Der Betriebsrat

a **Partnerarbeit. Was darf ein Betriebsrat, was darf er nicht? Was glauben Sie? Diskutieren Sie und kreuzen Sie an.**

§ In Deutschland und Österreich haben Mitarbeiter das Recht, in ihrer Firma einen Betriebsrat zu wählen, der ihre Interessen vertritt und bei bestimmten Entscheidungen in der Firma mitbestimmen darf.

	richtig	falsch
1 Der Betriebsrat muss einverstanden sein, wenn einem Mitarbeiter gekündigt wird.	☐	☐
2 Der Betriebsrat klärt die Mitarbeiter über gesundheitliche Gefahren am Arbeitsplatz auf.	☐	☐
3 Der Betriebsrat ist berechtigt, Arbeitsverträge mit den Mitarbeitern abzuschließen.	☐	☐
4 Der Betriebsrat diskutiert die Dienstpläne und Überstundenregelungen mit der Firmenleitung.	☐	☐
5 Der Betriebsrat kann darüber abstimmen, ob die Chefin / der Chef entlassen wird.	☐	☐
6 Die Chefin / Der Chef muss dem Betriebsrat rechtzeitig mitteilen, wenn Änderungen im Betrieb oder in der Produktion notwendig werden.	☐	☐
7 Der Betriebsrat ist verpflichtet, zum Wohl der Mitarbeiter für saubere Arbeitsplätze zu sorgen.	☐	☐
8 Der Betriebsrat kann mit Unterstützung der Gewerkschaft die Mitarbeiter zum Streik aufrufen.	☐	☐

▶ 7|4 b **Hören Sie und vergleichen Sie.**

▶ 7|5 c **Was ist in der Firma passiert? Wie hat der Betriebsrat reagiert? Hören Sie und kreuzen Sie an.**

1 Bernd findet, dass
☐ Marianne den Müll trennen soll.
☐ der Betriebsrat sich nicht um die Mülltrennung kümmern soll.
☐ die Mülltrennung keine gute Idee ist.

2 Die Mitarbeiter müssen
☐ mehr Überstunden machen.
☐ weniger Gehalt akzeptieren.
☐ einen neuen Betriebsrat wählen.

3 Die Firmenleitung hat
☐ Mitarbeitern gekündigt.
☐ die Firma geschlossen.
☐ die Firma an die Konkurrenz verkauft.

4 Der Betriebsrat hat
☐ die Kündigungen abgelehnt.
☐ beschlossen zu streiken.
☐ mit der Firmenleitung einen Kompromiss gefunden.

Es sieht so aus, als ob du da einen Plastikbecher in den Papierkorb geworfen hättest.

Marianne   Bernd

▶ 7|5 d **Hören Sie noch einmal. Wer sagt was? Bernd oder Marianne? Ordnen Sie zu.**

1 __Bernd__ : Leider sieht es so aus, als ob sich der Betriebsrat nur noch um saubere Arbeitsplätze kümmern würde.

2 _____ : Wenn der Betriebsrat nicht gewesen wäre, müssten wir jetzt nicht nur länger arbeiten, sondern würden auch noch genauso wenig verdienen wie zuvor.

3 _____ : Das klingt so, als ob du dem Betriebsrat die Schuld an den Entlassungen geben würdest … Die konnten einfach nichts gegen die Kündigungen machen. Zuerst hat es so ausgesehen, als ob man unsere Firma schon verkauft hätte.

4 _____ : Der neue Dienstplan ist ein Witz. Ein guter Betriebsrat darf sich das auf keinen Fall gefallen lassen.

> **als ob + Konjunktiv II**
>
> Es sieht so aus, als ob man die Firma verkaufen würde.
> ≈ Ich vermute, dass man die Firma verkauft.
> Es sieht so aus, als ob man die Firma verkauft hätte.
> ≈ Ich vermute, dass man die Firma verkauft hat.

e **Wer kritisiert den Betriebsrat ☹? Wer findet seine Arbeit gut ☺? Kreuzen Sie an.**

Bernd: ☐ ☺   ☐ ☹   Marianne: ☐ ☺   ☐ ☹

AB **B2 Mitbestimmung im Ort**

a Schreiben Sie zu den Sätzen (1–3)
sechs Sätze mit *als ob* wie im Beispiel.

1 Man baut im Seepark ein Hotel.
2 Man verbietet das Autofahren
   im Stadtzentrum.
3 Es regnet und stürmt am Wochenende.

1a Es sieht so aus, als ob man ... bauen würde.
1b Es sieht so aus, als ob man ... gebaut hätte.

b Partnerarbeit. Ordnen Sie Ihre → **Konjunktiv II, Lektion 13**
Sätze in a den Schlagzeilen (A–F) zu.

A 1a Gemeinderat plant Hotelanlage im Seepark
B ☐ Seit gestern Fahrverbot für Autos im Stadtzentrum
C ☐ Wohnanlage durch Unwetter beschädigt
D ☐ Hotelanlage im Seepark eröffnet
E ☐ Bürgerinitiative gegen Fahrverbot im Stadtzentrum
F ☐ Schlechtwetter am Wochenende

▶ 7|6 c Lesen Sie und hören Sie den Zeitungsartikel. Welche Schlagzeile aus b passt?

... „Wir hoffen, dass sich die Zahl der Touristen in
den nächsten Jahren um mehr als 20 Prozent er-
höht." Bürgermeister Hofbauer hatte gute Laune[1].
Er nutzte gestern eine Bürgerversammlung[2], um das
5 Hotelprojekt „Arconda" der Presse und der Öffent-
lichkeit vorzustellen. Im Park soll eine Hotelanlage
mit mehr als 400 Betten gebaut werden. Die Gegner
des Projektes haben sich in einer Bürgerinitiative
organisiert. Sie wiesen darauf hin[3], dass durch den
10 Bau ein Teil des Naturschutzgebietes zerstört wird,
in dem mehrere geschützte Vogelarten leben. Auch
andere Bürger warnten davor, den Strandbereich
und den Park zu verbauen. „Viele Touristen kommen
wegen der Ruhe und der Natur zu uns. Die Nach-
15 frage[4] nach alternativen Urlaubsangeboten steigt.

Wir wollen keine Großbaustelle im Ort, auch nicht
für eine begrenzte Zeit", waren ihre Begründungen.
Walter Mohr, Geschäftsführer des größten Hotels in
Kleinstein, meinte: „Wir haben schon jetzt Probleme,
20 alle Zimmer zu vermieten. Das neue Hotel ist eine
ernste Gefahr für die anderen Hotels in der Stadt."
Im Gegensatz dazu gab es aber auch viele Stimmen,
die die Vorteile des Projektes unterstrichen. „Das
Projekt schafft Arbeitsplätze, sowohl in der Baupha-
25 se als auch danach." In den nächsten Wochen soll das
Bauprojekt genehmigt werden. Gegner des Projektes
haben Unterschriften gesammelt. Sie planen eine
Demonstration und denken daran, den Park zu
besetzen[5]. Es scheint, als ob Bürgermeister Hofbauer
30 doch noch mit starkem Gegenwind rechnen müsste.

[1] Stimmung   [2] Treffen der Bürger   [3] auf etw. aufmerksam machen   [4] Interesse   [5] dort bleiben, hier: um die Baustelle zu verhindern

d Partnerarbeit. Lesen Sie den Zeitungsartikel noch einmal und wählen Sie drei Personen aus der Tabelle.
Was könnten die Personen in einer Diskussion sagen? Schreiben Sie wie im Beispiel.

Personen für das Projekt	Personen gegen das Projekt
Eiscafébesitzerin	Hotelmanager eines anderen Hotels
Surflehrerin	Naturschützerin
Bauingenieur	Rentner (Einwohner)

mehr Eis verkaufen   mehr Lärm   neue Mitarbeiter einstellen
mehr Verkehr   das Café / die Surfschule ... vergrößern
neue Baumaschinen kaufen   höhere Steuern zahlen
eine Segelschule eröffnen   mehr Strandunterhaltung bieten
schlechte Luftqualität   der Jugend Chancen bieten   ...

Surflehrerin: Das Projekt schafft Arbeitsplätze.
Wenn mehr Touristen kommen, kann meine Surfschule
im Sommer noch einen Surflehrer anstellen.

e Lesen Sie einige wichtige Argumente für die einzelnen Personen vor.

f Was meinen Sie? Wer hat recht? Diskutieren Sie im Kurs.

Ich finde, ... hat recht. Es ist wichtig, dass ...
Da muss ich widersprechen. Ich finde, dass ...

Ich stimme ... zu. Sie/Er sagt, dass ...
Ja, aber ... hat auch recht.

C

AB C1 **Wie wird man Deutscher, Österreicher oder Schweizer?**

▶ 7|7 **a** **Lesen Sie und hören Sie die Texte. Wer sagt, dass ein Staatsbürgerschaftstest auch Fragen zur Geschichte enthalten sollte?**

HEUTE IM FORUM: WAS MÜSSEN ZUKÜNFTIGE STAATSBÜRGER WISSEN?

Um Deutscher, Österreicher oder Schweizer zu werden, muss man auch einen Test zur Geschichte und Politik des Landes bestehen. Heute wollen wir von euch wissen, welche Fragen ihr dabei stellen würdet.

sabi: Ich weiß selbst nicht viel über Politik und Geschichte. Aber was in Österreich zwischen 1938 und 1945 passiert ist, das sollte man schon wissen. Ich finde allerdings nicht wichtig, wann die so ewig lang regierenden[1] Habsburger[2] ihre Kriege geführt haben. Viel wichtiger ist es, dass man im alltäglichen Leben zurechtkommt. Man sollte die wichtigsten Behörden, Ämter und Vereine[3] kennen und wissen, wo man sich erkundigen[4] kann, wenn man Fragen oder Probleme hat. Die Namen der Regierenden muss man nicht unbedingt wissen.

urs: Man muss wissen, welche Rechte und Pflichten man als Staatsbürger hat. Denn nur als informierter Bürger kann man bei den regelmäßig stattfindenden Volksabstimmungen im Kanton mitmachen und einen Beitrag für die Demokratie[5] leisten[6]. Es ist nicht so wichtig, dass man alle Einzelheiten zur Geschichte der Schweiz kennt. Aber man sollte wissen, wer die gewählten Volksvertreter im Bundesrat[7] sind, und wie unser Verhältnis zur Europäischen Union (EU) geregelt wird. Ein gelungener Test sollte das abfragen.

cato: Man sollte die in der Verfassung[8] beschriebenen Grundrechte kennen, zum Beispiel das Recht auf Meinungsfreiheit. Man sollte auch wissen, wie in Deutschland gewählt wird. Aber es ist nicht so wichtig, welche konkurrierenden Parteien und Politiker es gibt. Das muss in einem Test nicht unbedingt vorkommen.

---

[1] ein Land führen   [2] Kaiser- (≈ Königs-) Familie in Österreich   [3] Organisation für Leute mit gleichen Hobbys, Interessen oder Zielen
[4] fragen   [5] Staatsform, in der die Bürger die Regierung wählen   [6] mitarbeiten   [7] die Regierung in der Schweiz
[8] Gesetzestext mit den wichtigsten Gesetzen eines Staates

b **Lesen Sie noch einmal. Welche Fragen finden die Personen wichtig / nicht wichtig? Schreiben Sie.**

	wichtig	nicht wichtig
sabi	Was ist in Österreich zwischen 1938 und 1945 geschehen?	Wann haben die Habsburger regiert?
urs		
cato		

c **Ergänzen Sie die Nomen und unterstreichen Sie die Partizipien in den Texten in a.**

→ Partizip II, Lektion 7
→ Partizip II, Lektion 9

~~Parteien~~   ~~Grundrechte~~   die Habsburger   ~~Volksabstimmungen~~
~~Volksvertreter~~   ~~ein Test~~

1   die Habsburger   , die ewig lang regiert haben   5 _____, die in der Verfassung
2 _____, die regelmäßig stattfinden   beschrieben werden
3 _____, die gewählt wurden   6 _____, die konkurrieren
4 _____, der gelungen ist

Partizipien als Attribute

Partizip I: regieren → regierend   die regierende Partei = die Partei, die regiert/regiert hat
Partizip II: gewinnen → gewonnen   die gewonnene Wahl = die Wahl, die gewonnen wurde
            steigen → gestiegen   das gestiegene Interesse = das Interesse, das gestiegen ist/war
---

d **Partnerarbeit. Welche Fragen würden Sie in einem Einbürgerungstest für Ihr Heimatland stellen, welche nicht? Sammeln Sie wichtige und unwichtige Fragen.**

Partizipien als Nomen
Regierende = Personen, die regieren
Regierte = Personen, die regiert werden

AB **C2 Geschichte und Politik in den deutschsprachigen Ländern**

▶ 7|8 **a** **Lesen Sie und hören Sie die Texte. Welche Fragen aus 1b können Sie nach dem Lesen beantworten?**

Geschichte

In Deutschland und Österreich herrschten[1] mehrere Jahrhunderte lang ausschließlich Könige, Kaiserinnen und Kaiser. Erst im Jahr 1918 wurden beide Staaten demokratisch. 26 Jahre später kam in Deutschland Adolf Hitler an die Macht. Von 1934 bis 1945 war Deutschland eine Diktatur. Österreich war von 1938 bis 1945 ein Teil des Deutschen Reiches. Die nach dem Zweiten Weltkrieg eingeführte Regierungsform ist bis heute gültig. Heute sind beide Länder Demokratien. Die Schweiz ist schon seit 1848 eine Demokratie.

Grundrechte und Verfassung

In allen drei Ländern stehen wichtige Werte und Grundrechte in der Verfassung. Zu den durch die Verfassung geschützten Grundrechten gehören unter anderen das Recht auf freie Meinungsäußerung, das Recht auf Religionsfreiheit und das Recht auf Familie. Auch Minderheitenrechte[2] sind durch die Verfassung geschützt.

Bundesländer und Kantone

Deutschland, Österreich und die Schweiz bestehen aus mehreren politischen Einheiten mit einer eigenen Verwaltung. Die in den Bundesländern (Deutschland und Österreich) und Kantonen (Schweiz) regierenden regionalen Parlamente können zu bestimmten Themen selbstständig Gesetze beschließen.

Politische Parteien und Wahlen

In den deutschsprachigen Ländern gibt es linke, rechte, konservative[3], liberale[4] und nationale Parteien, die gewählt werden können. In der Schweiz gibt es neben den Wahlen auch regelmäßig stattfindende Volksabstimmungen über den Inhalt von Gesetzen. An den Wahlen und Abstimmungen können alle erwachsenen Frauen und Männer gleichberechtigt[5] teilnehmen.

Die Regierung

Regierungen sollen politische Entscheidungen treffen, Reformen durchführen und das Land regieren. Die in der Regierung nicht vertretenen Parteien bilden die Opposition. In Deutschland und Österreich führt eine Bundeskanzlerin oder ein Bundeskanzler die Regierung. Ministerinnen und Minister unterstützen ihn oder sie dabei. In der Schweiz regieren sechs Bundesräte oder -rätinnen. Bundespräsidentinnen oder -präsidenten, die das Land nach außen vertreten, gibt es in Deutschland und Österreich. Die deutschen und österreichischen Regierungsmitglieder vertreten ihre Länder auch im Ministerrat der EU. Als Nichtmitglied schließt die Schweiz mit der EU besondere Verträge ab.

[1] regieren   [2] die Rechte des kleineren Teils der Bevölkerung; ↔ Mehrheit
[3] traditionelle Werte und Meinungen sind wichtig   [4] die Freiheit des Einzelnen ist wichtig   [5] die gleichen Rechte haben

b **Markieren Sie in jedem Text ein Partizipialattribut und unterstreichen Sie die Artikel und Nomen in a wie im Beispiel.**

c **Partnerarbeit. Machen Sie ein Partnerquiz.**
A stellt Fragen zu den ersten drei Textabschnitten,
B stellt Fragen zu den letzten beiden Abschnitten.

Wer regierte in Deutschland und Österreich vor 1918?

Könige, Kaiserinnen und Kaiser.

C3 Und jetzt Sie!

Partnerarbeit. Welche Fragen interessieren Sie? Sprechen Sie darüber.

1 Wie sieht das politische System in Ihrem Heimatland aus?
2 Wie wichtig ist Politik in Ihrem Leben?
3 Sind Sie in irgendeiner Form (politisch) aktiv?
  (Partei, Verein, freiwillige Sozialarbeit, Kirche usw.)
4 Was würden Sie in Ihrem politischen System verändern?

In meinem Heimatland gibt es …
Bundesländer/Provinzen …
Es gibt … Parteien. Wir wählen …
Momentan regiert …
Wir haben … Bundeskanzler/Präsidenten …
… dürfen wählen/abstimmen.

GRAMMATIK

Nomen

Adjektivdeklination Genitiv – Regeln (4)

Regeln	Beispiele
Hauptregel (HR): meistens -en – bestimmter Artikel: Sg. •••, Pl. • – unbestimmter Artikel: Sg. ••• – Possessivartikel: Sg. •••, Pl. • – Nullartikel: Sg. ••	der Geschmack des süßen Kakaos, ... der Anblick einer kleinen Maus, ... der Klang ihrer tiefen Stimmen, ... der Geruch frischen Brotes, ...
Singularregel 4 (SR4): – Nullartikel: Sg. •	der Geschmack frischer Milch
Pluralregel 2 (PL2): – Nullartikel: Pl. •	der Anblick wilder Pferde

Adjektivdeklination – Genitiv

Singular	bestimmter Artikel *der/dieser/...*	unbestimmter Artikel *ein/...*	Possesivartikel *mein/...*	Nullartikel
• maskulin	des frischen Apfels	eines frischen Apfels	meines frischen Apfels	frischen Apfels
• neutral	des frischen Brotes	eines frischen Brotes	meines frischen Brotes	frischen Brotes
• feminin	der frischen Milch	einer frischen Milch	meiner frischen Milch	frischer Milch
Plural				
•	der frischen Brötchen	frischer Brötchen	meiner frischen Brötchen	frischer Brötchen

Adjektiv – Partizipien (als Attribute)

Partizip I: regieren – regierend	• der regierende Kanzler
Partizip II: regieren – regiert	• der regierte Kanton
Partizip II: steigen – gestiegen	• der gestiegene Preis

Wortbildung – nominalisierte Partizipien

Partizip I: regierend	• der / • das / • die Regierende
Partizip II: regiert	• der / • das / • die Regierte

Verb

Konjunktiv II – Vergangenheit

	hätt-	Partizip II
ich	hätte	
du	hättest	aufgegeben/...
...	...	

	wär-	Partizip II
ich	wäre	
du	wär(e)st	gezogen/...
...	...	

wie Perfekt, aber *haben/sein*
im Konjunktiv II

Satz

Konjunktiv II (Vergangenheit) – irreale Bedingung

Wenn sie eine ... gefunden hätten,	wären die Behörden machtlos gewesen.

Konjunktiv II (Vergangenheit) – irrealer Wunsch

Hätten wir doch eine gemeinsame Wohnung gefunden!

Konjunktiv II – irrealer Vergleich mit *als ob*

	Konjunktion		Satzende
Es sieht so aus,	als ob	man die Firma verkaufen	würde.
Es sieht so aus,	als ob	man die Firma verkauft	hätte.

Gleicher Lohn für gleiche Arbeit

Teures Benzin – Nein danke!

Es sieht so aus, als ob wieder Wahlen wären.

((REDEMITTEL

über Erinnerungen sprechen

Der Geruch / Der Geschmack / Der Anblick frischer Bröt-
chen / ... erinnert mich an ...
Der Klang von / Das Geräusch von ...

über vergangene Ereignisse spekulieren

Was wäre geschehen, wenn Annette sich hätte scheiden lassen?
Was hätten sie gemacht, wenn ...?
Wenn es die Mauer nicht gegeben hätte, hätten/wären ...

vergleichen

Es sieht so aus, als ob ... gebaut würde / gebaut worden wäre.

argumentieren

Ich finde, ... hat recht. Es ist wichtig, dass ...
Da muss ich widersprechen. Ich finde, dass ...
Ich stimme ... zu. Sie/Er sagt, dass ...
Ja, aber ... hat auch recht.

ein politisches System beschreiben

In meinem Heimatland gibt es ... Bundesländer/Provinzen/...
Es gibt ... Parteien. Wir wählen ... Momentan regiert ...
Wir haben ... Bundeskanzler/Präsidenten/...
... dürfen wählen/abstimmen.

Wie wird die Zukunft werden?

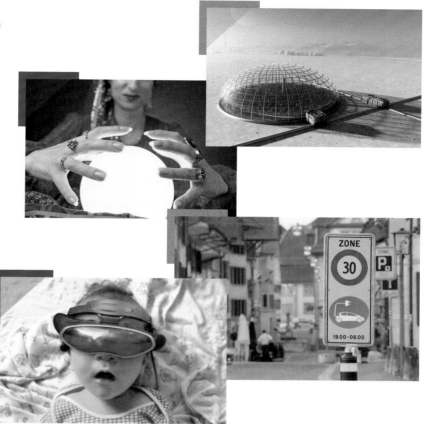

Manchmal kommt es anders …

a … als man geplant hat. Machen Sie Notizen wie im Beispiel.

Beruf   Fortbildung   Freundschaften   Beziehungen   Konsum (Haus, Auto, …)
Reisen   Wochenendaktivitäten   Hobbys   Kinder   ~~Sport~~   …

Thema	Pläne	Gründe für die Änderung	Gefühle danach
Sport	bei einem Marathon mitlaufen	zu wenig trainiert	froh, dass ich nicht mitlaufen musste

b Lesen Sie. Was waren Svens Pläne? Warum konnte er sie nicht realisieren?

Sven: Eigentlich ist es mir in der Firma sehr gut gegangen. Ich habe sehr gern im Außendienst gearbeitet. Ich habe landwirtschaftliche Maschinen verkauft. Ich wollte in der Firma die Verkaufsleitung für ganz Nordeuropa übernehmen und habe mich in Fortbildungskursen darauf vorbereitet. Aber dann hatte ich einen schweren Unfall und war drei Monate im Krankenhaus. Danach musste ich meine Pläne aufgeben. Anfangs war ich enttäuscht und deprimiert, doch dann habe ich mich langsam an die Arbeit im Büro gewöhnt. Wenn ich den Unfall nicht gehabt hätte, hätte ich heute aber sicher eine interessantere Arbeit.

c Schreiben Sie einen kurzen Text mit Ihren Ideen aus a und sprechen Sie mit Ihrer Partnerin / Ihrem Partner.

Eigentlich wollte ich / … Ich habe mich / … sehr gut auf … vorbereitet.
Aber dann / danach musste ich … aufgeben. Anfangs war ich traurig / …
Jetzt … zufrieden / böse auf … Wenn …. hätte / wäre, …

Eigentlich wollte ich …

Was hättest du gemacht, wenn …?

SIE LERNEN

– über Vorhersagen sprechen
– Vorsätze, Versprechen, Vermutungen und Warnungen ausdrücken

GRAMMATIK

– Futur I
– Relativsätze mit *was* und *wo*
– Nebensätze mit *als, wie* (Vergleich)
– *so …, dass …* (Folge)
– zweiteilige Konjunktion (3) *je …, desto*
– Wiederholung: Relativsätze; Komparativ; Vergleich

WORTSCHATZ

– Gesundheit
– Verkehr

AB **A1 Was wird die Zukunft bringen?**

a **Partnerarbeit. Was ist schon heute (h) oder erst zukünftig (z) möglich? Was glauben Sie? Ordnen Sie zu.**

1 ☐ Ein Computerchip im Gehirn kann Parkinsonpatienten helfen.
2 ☐ Man kann das Gedächtnis eines Menschen auf einer Computerfestplatte speichern.
3 ☐ Man kann aus Meerwasser Trinkwasser gewinnen.
4 ☐ Fischzuchtanstalten in den Ozeanen lösen das Problem des Hungers auf der Erde.
5 ☐ Unterwasserleitungen liefern Sonnenenergie aus Afrika nach Europa.

▶ 7|9 b **Lesen Sie und hören Sie den Text. Vergleichen Sie Ihre Antworten aus a mit den Textinformationen.**

Optimisten und Pessimisten

Stehen wir kurz vor dem Ende der Welt oder können wir beruhigt in die Zukunft schauen? Wollte man früher diese Frage beantworten, hörte man auf Wahrsager und Propheten. Heute hören wir auf das,
5 was Zukunftsforscher sagen. Unter ihnen gibt es sowohl Pessimisten als auch Optimisten. Ray Hammond ist der bekannteste europäische Zukunftsforscher, und er ist Optimist. „In diesem Jahrhundert werden wir die Lebenszeit des Menschen um 30 bis
10 40 Jahre verlängern", meint er. „Am Ende des Jahrhunderts werden wir bei guter Gesundheit ein Alter von 130 Jahren erreichen." Denn für alles, was Menschen krank machen kann, wird es zukünftig Behandlungsmöglichkeiten geben. Die Frage ist nur,
15 ob wir auch psychisch bereit[1] sind, so alt zu werden. Der US-amerikanische Autor Raymond Kurzweil denkt noch weiter. Die Menschen werden sich nicht auf ihre körperlichen Fähigkeiten beschränken[2]. Der Computer und der Mensch werden zusammenwach-
20 sen. Computerchips im Gehirn können schon heute Parkinsonpatienten das Leben erleichtern. Bald wird es nichts geben, was ein Computerprogramm nicht abbilden[3] kann. Auch unsere Einfälle[4], Ideen und Gedanken werden Computer sehr bald speichern kön-
25 nen. So werden wir unser Leben ewig fortsetzen[5] – zumindest als Information auf einer Festplatte. Wenn mehr Menschen ein höheres Alter erreichen, wächst die Weltbevölkerung. Pessimistische Forscher warnen schon jetzt vor einer Bevölkerungsexplosion.

30 Doch Ray Hammond sieht kein Ernährungsproblem auf der Erde. „Dort, wo es notwendig ist, werden wir aus dem Meerwasser Trinkwasser gewinnen. Diese Technologie funktioniert bereits heute", meint er, „und überall, wo wir freie Flächen finden, werden
35 wir sie für die Landwirtschaft nutzen." Die Ozeane werden riesige Fischzuchtanstalten sein und wertvolle Nahrung liefern. All das wird insgesamt 12 Milliarden Menschen und mehr ernähren können. Pessimistische Forscher warnen vor der Klima-
40 katastrophe und einem weltweiten Energieproblem. Auch das ist etwas, was gelöst werden kann, meint Ray Hammond. Im Jahr 2030 werden alle neuen Autos idealerweise Elektrofahrzeuge sein. Die Sonnenenergie eignet[6] sich schon heute als Energie-
45 alternative. Es ist längst fällig[7], sie besser zu nutzen. In Afrika, wo es viel Sonnenenergie gibt, werden riesige Solarkraftwerke stehen. Sie werden den Strom über Unterwasserleitungen nach Europa liefern.
50 Optimistische Zukunftsprognosen sind wichtig. Sie machen Mut und fordern Menschen auf, ihre Gewohnheiten zu ändern. Statt ängstlich und egoistisch auf die eigene Zukunft zu schauen, sollten wir entschlossen unsere Probleme lösen. Doch die
55 Pessimisten misstrauen[8] ihren Kollegen: „Wenn wir zu optimistisch sind, sehen wir die Gefahren nicht und schlagen nicht rechtzeitig Alarm[9]. Später kann es aber zu spät sein."

[1] vorbereitet sein   [2] zufrieden sein mit   [3] ein Bild (eine Abbildung) machen   [4] Idee; (einfallen)   [5] weiterführen
[6] kann man für etw. nutzen   [7] es ist dringend notwendig   [8] ↔ vertrauen   [9] laut warnen

c **Was steht im Text? Lesen Sie den Text noch einmal und ergänzen Sie. Achtung, nicht alle Wörter passen!**

unsere Gedanken	zufriedener	alle freien Flächen
Elektroautos	~~130 Jahre alt~~	Solarstrom aus Afrika
Hausdächer	Fische	Trinkwasser	Gesundheitsdaten

1 Im Jahr 2100 werden die Menschen
   __130 Jahre alt__ werden.
2 In Zukunft werden wir _____ auf einer Festplatte speichern können.
3 Die Menschen werden aus dem Meerwasser _____ machen.
4 Man wird _____ für die Landwirtschaft nutzen.
5 Europa wird _____ bekommen.

┌───┐
│ **Vorhersagen: Futur I**   │
│   *werden*   + Infinitiv   │
│ In Zukunft werden alle Autos Elektrofahrzeuge sein. │
│   Es wird ... Behandlungsmethoden geben.   │
└───┘

Präsens mit Zeitangabe (= Das passiert ziemlich sicher.)
In Zukunft sind alle neuen Autos Elektrofahrzeuge.

d **Was sagen die Pessimisten über die Zukunft? Schreiben Sie fünf Vorhersagen im Futur I und ordnen Sie die optimistischen Aussagen aus c zu.**

a ~~es / eine Bevölkerungsexplosion~~ / geben / .
b die Computer / die Macht / übernehmen / .
c auf der Erde / es / riesige Wüstengebiete / geben / .

d Milliarden Menschen / kein Wasser / haben / .
e Energie / sehr teuer / sein / .

a *Es wird eine Bevölkerungsexplosion ... (1)*

A2 Vorhersagen

a **Wie denken wohl Optimisten und Pessimisten über Aussagen von Zukunftsforschern? Lesen Sie die Aussagen (1–9) und schreiben Sie optimistische ☺ oder pessimistische ☹ Vorhersagen wie in den Beispielen.**

Im Jahr 2100 ...
1 wird man nicht mehr arbeiten müssen.
2 werden Roboter als Pfleger im Altenheim arbeiten.
3 wird man sein Idealgewicht selbst bestimmen können, ohne eine Diät machen zu müssen.
4 wird man im Weltraum Urlaub machen.
5 wird man nur von zu Hause aus einkaufen.

6 wird man das Aussehen, den Charakter und die Intelligenz eines Babys vor der Geburt wählen können.
7 werden 90 Prozent der Menschen in Großstädten wohnen.
8 wird man in zwei Stunden in einem Weltraumflugzeug um die Welt fliegen.
9 werden Roboter alle Arbeiten im Haushalt erledigen.

zu 1: ☹ *Das Leben wird langweiliger sein.*   zu 6: ☺ *Alle Babys werden sehr intelligent sein.*   zu ...

b **Partnerarbeit. Lesen Sie Ihre Vorhersagen vor. Ihre Partnerin / Ihr Partner ordnet sie den Optimisten oder Pessimisten zu und errät die Aussage.**

Alle Babys werden sehr intelligent sein.

Das ist optimistisch und passt zu Aussage 6.

AB ## A3 Alles, was die Zukunft bringen wird ...

a **Suchen Sie die passenden Relativsätze im Text in 1b und ergänzen Sie. Ordnen Sie den Sätzen die drei Themen (A–C) zu.**

→ Relativsätze, Lektion 16

A Bevölkerungsexplosion   B Ein „ewiges" Leben   C Sonnenenergie

1 **B** Für alles, __was__ Menschen ..., wird es ... Behandlungsmöglichkeiten geben. (Zeile 12–14)
2 ☐ Bald wird es nichts geben, _____ ein Computerprogramm ... (Zeile 21–23)
3 ☐ Dort, _____ es notwendig ist, werden wir aus dem Meerwasser Trinkwasser gewinnen. (Zeile 31–32)
4 ☐ Überall, _____ wir freie Flächen ..., werden wir sie für die Landwirtschaft nutzen. (Zeile 34–35)
5 ☐ ... Energieproblem ... ist etwas, _____ gelöst werden kann, meint Ray Hammond. (Zeile 40–41)
6 ☐ In Afrika, _____ es viel Sonnenenergie gibt, werden riesige Solarkraftwerke stehen. (Zeile 46–47)

Relativsätze (Relativpronomen *was* und *wo*)

Heute hören wir auf das, was Zukunftsforscher sagen.

das / alles / etwas / nichts ..., was ...

Dort, wo es notwenig ist, ...

dort / an dem Ort / in Europa / überall ..., wo ...

b **Wählen Sie einige Relativsätze und schreiben Sie zu jedem Satz persönliche Informationen auf einen Zettel.**

1 eine Stadt, wo ich leben möchte
2 kein Ort, wo ich Urlaub machen möchte
3 etwas, was mir jemand geschenkt hat
4 etwas, was ich lernen möchte
5 nichts, was ich mir wünsche
6 ein Platz, wo ich mich entspannen kann

7 alles, was mir in zehn Sekunden zum Thema Zukunft einfällt
8 etwas, was ich nie in meinem Leben machen möchte
9 ein Ort, wo ich ein unangenehmes Erlebnis hatte

tanzen, das Schwimmbad, Chinesisch, mein Regenschirm, ...

c **Partnerarbeit. Tauschen Sie die Zettel. Ihre Partnerin / Ihr Partner versucht zu erraten, zu welchem Satz Ihre Informationen passen.**

Tanzen ist etwas, was du lernen möchtest.

Nein, ...

AB B1 Neujahrsvorsätze

a Zu Neujahr denkt man oft über sein Leben nach und beschließt, etwas zu ändern.
Schreiben Sie Neujahrsvorsätze für die folgenden Personen.

A

Robert: Er raucht viel.
Er geht zu spät ins Bett.
Er rasiert sich nicht
regelmäßig.

B Herr Müller: Er liest
heimlich die Zeitung
seines Nachbarn, weil
er selbst keine Zeitung
abonniert hat. Er unter-
bricht und verbessert
seine Gesprächspartner ständig. Er verwendet
Fremdwörter, die seine Gesprächspartner im
Wörterbuch nachschlagen müssen.

C

Sabine: Sie hätte gern lockige
Haare. Sie spielt stundenlang am
Computer Schach und Sudoku.
Sie isst viel Schokolade.

Robert: „Ich werde weniger rauchen.“

▶ 7|10 **b** Hören Sie. Über welche Neujahrsvorsätze aus **a** sprechen die Personen? Machen Sie Notizen.

Situation 1: wird weniger unterbrechen und ...   Situation 2: ...   Situation 3: ...

▶ 7|10 **c** Hören Sie noch einmal. Zu welcher Situation (1, 2 oder 3) passen die Sätze?   → Komparativ, Vergleich, Lektion 10
Ordnen Sie zu und ergänzen Sie.

schwieriger   einfacher   toll   als   als   wie

> **Vergleichssätze**
> Die Frisur sieht besser
> aus, als ich gedacht habe.
> Die Frisur sieht (genau)
> so gut aus, wie ich
> gedacht habe.

1 ☐ „Die Frisur sieht genauso _____ aus, _____ ich sie mir vorgestellt habe.“
2 ☐ „Na, offensichtlich ist das für ihn aber _____, _____ er gedacht hat.“
3 ☐ „Na siehst du. Das war _____, _____ du dir gedacht hast.“

d Denken Sie an vier Verwandte und Freunde. Welche Vorsätze haben sie?
Beschreiben Sie auch, wie schwierig es ist, den Vorsatz zu realisieren.

öfter joggen   eine Gehaltserhöhung fordern   öfter selbst kochen   den Keller/Schreibtisch/... aufräumen
ein Instrument / eine Fremdsprache /... lernen   Gymnastik machen   öfter Picknick machen   ...

Marina hat gesagt, dass sie öfter joggen wird.   *Das ist nicht so einfach/..., wie ...*
Das ist für sie aber nicht so einfach, wie sie   *Das ist schwieriger/komplizierter/anstrengender/...,*
geglaubt hat. Sie hat zwei kleine Kinder.   *als sie/er geglaubt/gedacht/gehofft/... hat.*

e Partnerarbeit. Lesen Sie Ihre Sätze vor und sprechen Sie über die Situationen.

AB B2 Montagmorgen

▶ 7|11 **a** Hören Sie und beantworten Sie die Fragen.

1 Warum sind Julia und Franz böse auf Robert?
2 Warum kann Robert nicht arbeiten?

Robert

Julia und Franz

▶ 7|11 **b** Hören Sie noch einmal und ergänzen Sie die Verben im Futur I.
Was bedeutet das Futur? Ordnen Sie die Sätze 1–5 den Sätzen a–e zu.

bleiben müssen   helfen   rauchen   rauchen   sehen

1 „Er __wird__ irgendwo eine _____.“
2 „Er hat doch gesagt, dass er im Neuen Jahr weniger _____ _____.“
3 „Du _____ schon _____, wohin das führt ... Du wirst seine ganze Arbeit
   machen.“
4 „Er _____ länger im Krankenhaus _____ _____.“
5 „Und ich _____ dir _____.“

> Futur I kann bedeuten:
> Vorhersage, Vorsatz/
> Plan, Versprechen,
> Vermutung, Warnung/
> Drohung

a ☐ Vorsatz/Plan: Robert wollte weniger rauchen.
b [1] Vermutung: Franz glaubt, dass Robert gerade eine Zigarette raucht.
c ☐ Warnung/Drohung: Franz warnt Julia davor, dass sie Roberts Arbeit machen muss.
d ☐ Versprechen: Franz sagt, dass er Julia hilft.
e ☐ Vorhersage: Roberts Behandlung im Krankenhaus dauert länger.

AB **B3 Im Krankenhaus**

a **Sehen Sie die Zeichnungen an. Welche Beschreibung der Patienten (1–3) passt zu welchem Bild? Ordnen Sie zu.**

A ☐   B ☐   C ☐

1 giftige Pilze,
nicht erbrechen,
Leberschaden (?),
Diät, Spritze (?)

2 Magenschmerzen,
Operation 6.5., Wunde
genäht, keine Infektion,
Erkältung (?)
Lungenschaden (?)

3 Sturz mit dem Fahrrad,
Hand gebrochen,
Verletzungen am Knie,
an der Schulter und an der
Stirn, Pflaster auf die Wunde
geklebt, Verband angelegt

→ 7|12–14 b **Hören Sie und vergleichen Sie. Welcher Patient ist Robert? Kreuzen Sie an.**

☐ Patient 1   ☐ Patient 2   ☐ Patient 3

→ 7|12–14 c **Hören Sie noch einmal. Was ist richtig? Kreuzen Sie an.**

Patient 1:
a Der Zustand des Patienten ☐ hat sich verbessert.
☐ hat sich verschlechtert. ☐ ist gleich geblieben.
b Der Patient hat ☐ schlechte Leberwerte.
☐ keine Kraft. ☐ nichts gegessen.

Patient 2:
c Der Patient ☐ muss Fieber messen. ☐ muss noch einmal operiert werden. ☐ soll tief einatmen.
d Der Patient bekommt ☐ eine Spritze. ☐ Besuch. ☐ eine Diät.

Patient 3:
e Der Patient soll ☐ nicht ständig klingeln. ☐ den Sport nicht übertreiben. ☐ öfter auf die Toilette gehen.
f Der Patient kann ☐ sofort ☐ nach der Therapie ☐ in zwei Monaten nach Hause gehen.

d **Partnerarbeit. Machen Sie Notizen und beschreiben Sie, was den Patienten in a passiert ist.**

Patient 1: hat giftige Pilze gegessen, hat etwas gegessen und nicht erbrochen,
Zustand hat sich verbessert, Leberwerte normal ...
Patient 2: in der Firma gestürzt, ...
Patient 3: mit dem Fahrrad gestürzt, ...

Der erste Patient hat giftige Pilze gegessen. Er ...

e **Ordnen Sie die unterstrichenen Wörter aus a zu. Finden Sie weitere passende Wörter.**

1 Die Krankheit: erbrechen, ...   2 Die Therapie: Diät, ...

f **Wählen Sie vier Wörter aus e und schreiben Sie dazu persönliche Sätze wie im Beispiel.**

Mein Sohn hat beim Kinderarzt eine Spritze bekommen. Sie hat nicht so weh getan, wie er gedacht hatte.

g **Gruppenarbeit. Lesen Sie Ihre Sätze vor und erklären Sie.**

AB C1 Autos der Zukunft

▶ 7|15 **a** Lesen Sie und hören Sie den Text. Warum sehen Autobauer und Fahrschulbesitzer mit Sorgen in die Zukunft?

Wie wird der Verkehr der Zukunft aussehen?

Wissenschaftliche Studien sagen schlechte Zeiten für Autobauer
voraus. Im Jahr 2050 wird es nämlich nur noch halb so viele Autos
geben wie heute. In der Stadt wird man öffentliche Verkehrsmittel
oder das Fahrrad benutzen, denn die Autos werden dort nur mit
5 Tempo 30 unterwegs sein.
Auf dem Land wird das Auto zwar das wichtigste Verkehrsmittel bleiben, aber auf Autobahnen und Landstraßen
wird es strenge Geschwindigkeitsbeschränkungen[1] geben. Schnelle Autos werden sich also nicht mehr so gut
verkaufen.
Das Autofahren wird aber auch bequemer, da sich die Autos vollautomatisch fortbewegen werden. Während man
10 auf der Autobahn im dichten[2] Verkehr unterwegs ist, wird man als Fahrer Filme ansehen oder ein Buch lesen
können. Autofahren wird so einfach, dass man keine praktische Führerscheinprüfung mehr braucht. In den
Fahrschulen wird man dann vor allem lernen, wie man mit seinem Fahrzeug möglichst ökologisch unterwegs ist.

[1]   [2] hier: mit wenig Platz zwischen den Autos

b Lesen Sie noch einmal und ordnen Sie zu.

1 Es wird <u>so wenige</u> Autos geben,
2 Die Autos werden in der Stadt <u>so langsam</u> fahren müssen,
3 Die Geschwindigkeitsbeschränkungen auf den Autobahnen werden <u>so streng</u> sein,
4 Das Autofahren wird <u>so bequem und einfach</u> sein,

a <u>dass</u> man beim Autofahren viel Zeit für andere Tätigkeiten hat.
b <u>dass</u> immer weniger schnelle Autos verkauft werden.
c <u>dass</u> viele Menschen lieber mit dem Fahrrad oder dem Bus fahren werden.
d <u>dass</u> die Autofirmen wirtschaftliche Probleme bekommen könnten.

▶ 7|16 **c** Vollautomatische Autos müssen Verkehrszeichen erkennen können. Ordnen Sie die Sätze (a–g) den Schildern (1–7) zu. Hören Sie dann und vergleichen Sie.

> *so ..., dass ...*
> Autofahren wird so einfach,
> dass man keine Führerschein-
> prüfung mehr braucht.
> *so + Adjektiv, + dass*

Das vollautomatische Auto ...
a ~~darf nicht schneller als eine bestimmte Geschwindigkeit fahren.~~
b muss warten, bis die Eisenbahn vorbeigefahren ist.
c muss stehen bleiben, wenn auf der Querstraße ein anderes Auto fährt.
d darf nicht auf der normalen Route weiterfahren.
e darf nicht in die Straße einbiegen.
f muss hinter einem langsameren Auto bleiben.
g darf hier nicht parken.

1	2	3	4	5	6	7

Überholen verboten	Umleitung	Geschwindigkeits-beschränkung	Vorfahrt gewähren	Parkverbot	Einbahnstraße – Einfahrt verboten	Bahn-übergang

d Partnerarbeit. Denken Sie an ein Verkehrszeichen aus c oder d. Beschreiben Sie, was das Auto tun muss. Ihre Partnerin / Ihr Partner nennt das Verkehrszeichen.

Gegenverkehr   Ampel   Zebrastreifen   Stoppschild   rechts abbiegen verboten

> *Das Auto muss bei Rot stehen bleiben.*

> *Ampel.*

AB **C2 Im Forum**

a **Lesen Sie die Forumsbeiträge. Wer sieht die Entwicklung positiv ☺, wer sieht sie negativ ☹?
Ergänzen Sie.**

DER VERKEHR IM JAHR 2050

Tempo 30 in der Stadt, vollautomatische Autos auf der Autobahn, Fahrräder und öffentliche Verkehrsmittel statt Autos ... Wie seht ihr diese Entwicklung?

☹ egon3: Ich habe ein Elektrounternehmen. Wenn sie in der Stadt einheitlich Tempo 30 einführen, werden meine Elektriker nicht mehr so schnell bei den Kunden sein. Je langsamer meine Fahrzeuge in der Stadt unterwegs sind, desto weniger Aufträge kann ich annehmen. Meine Kosten stehen aber fest. Da kann ich den Kunden nicht entgegenkommen. Ich werde meine Preise erhöhen müssen. Da kann ich leider keine Rücksicht nehmen.

○ radona: Je weniger Autos auf der Straße unterwegs sind, desto angenehmer wird das Leben in der Stadt. Die Gehsteige¹ sind heute ja schon viel zu schmal. Auf den Straßen wird wieder Platz für Radfahrer und Fußgänger sein. Es wird weniger Abgase² geben, die Luft wird besser und die Straßen werden sicherer.

○ gomax: Ich mag keine öffentlichen Verkehrsmittel. Man findet oft keinen Sitzplatz, die Luft ist wahnsinnig schlecht, und man muss Gespräche mithören, für die man sich überhaupt nicht interessiert. Je mehr Menschen mit öffentlichen Verkehrsmitteln unterwegs sind, desto unattraktiver werden sie für mich. Ich möchte nicht auf mein Auto verzichten.

○ riko00: Selbstfahrende Autos finde ich fantastisch. Wahrscheinlich werden sie so sicher sein, dass man sich beim Autofahren gar nicht mehr anschnallen³ muss, so wie im Zug. Ich bin jetzt schon gern mit dem Zug unterwegs, weil ich dabei viele andere Dinge erledigen kann. Je mehr Arbeit ich während der Fahrt erledigen kann, desto mehr Freizeit habe ich danach. Beim Autofahren langweile ich mich sowieso immer.

---

¹ wo Fußgänger gehen   ² Gase, die ein Motor produziert   ³ Sicherheitsgurt anlegen

b **Lesen Sie die Texte noch einmal. Wer sagt was?
Schreiben Sie dann die Sätze mit *Je ..., desto ...***

egon3   gomax   radona   ~~riko00~~

> **zweiteilige Konjunktion (3) – Bedeutung**
>
> Je weniger Autos es gibt, desto mehr Platz haben Fußgänger und Radfahrer.
>
> *je* + Komparativ ..., *desto/umso* + Komparativ

1 __riko00__ : Ich kann mehr Arbeit auf der Fahrt erledigen.
   → Ich habe mehr Freizeit.
2 _____ : Mehr Menschen sind mit öffentlichen Verkehrsmitteln unterwegs.
   → Öffentliche Verkehrsmittel werden für mich unattraktiver.
3 _____ : Es gibt weniger Autos auf der Straße.
   → Das Leben in der Stadt wird angenehmer.
4 _____ : Meine Fahrzeuge sind langsamer unterwegs.
   → Ich kann weniger Aufträge annehmen.

c **Gruppenarbeit. Finden Sie gemeinsame Sätze
mit *Je ..., desto* wie im Beispiel und
präsentieren Sie Ihre Satzbäume im Kurs.**

älter ich werde, ... — Je — langweiliger das Fernsehprogramm ist, desto schneller schlafe ich ein.
teurer das Benzin wird, ...

C3 Diskussion

**Gruppenarbeit. Bilden Sie drei Gruppen. Jede Gruppe sammelt
Argumente zu einer der Aussagen und präsentiert diese im Kurs. Diskutieren Sie dann.**

1 „Autos muss man in der Stadt verbieten."
2 „Umweltfreundliche Autos sollten in der Stadt erlaubt sein."
3 „Der Autoverkehr darf durch die Verkehrspolitik nicht behindert werden."

GRAMMATIK

Verb

Futur I – Vorhersage, Vorsatz/Plan, Versprechen, Vermutung, Warnung/Drohung

	werden	Infinitiv
ich	werde	
du	wirst	
er/es/sie	wird	sein/erreichen/fahren/...
wir	werden	
ihr	werdet	
sie/Sie	werden	

Vergleichen Sie: Präsens (mit Zeitangabe) *Ich fahre morgen nach Berlin.*
(Das passiert ziemlich sicher in der Zukunft.)

Die Schlaftabletten werden für drei Wochen ausreichen.

So lange werde ich sicher nicht schlafen.

Satz

Satzklammer Futur

	werden		Satzende
Es	wird	für alle Krankheiten Behandlungsmöglichkeiten	geben.
Die Ozeane	werden	riesige Fischzuchtanstalten	sein.

Relativsatz – mit Relativpronomen *was/wo*

	Relativpronomen		Satzende
Heute hören wir auf das,*	was	die Zukunftsforscher	sagen.
Dort**,	wo	es notwenig	ist, ...

* ebenso: *alles/etwas/nichts ..., **was** ...*
** ebenso: *an dem Ort / in Europa / überall ..., **wo** ...*

Nebensatz – *...er ..., als* und *(genau) so ..., wie* (Vergleich)

	Konjunktion		Satzende
Die Frisur sieht besser aus,	als	ich gedacht	habe.
Die Frisur sieht (genau)so gut aus,	wie	ich gedacht	habe.

Folgesatz – mit *so ..., dass*

so + Adjektiv	Konjunktion		Satzende
Autofahren wird so einfach,	dass	man keinen Führerschein	braucht.

zweiteilige Konjunktion (3) – Bedeutung

Konjunktion + Komparativ	Satzende	Konjunktion + Komparativ
Je weniger Autos es	gibt,	desto/umso mehr Platz haben Fußgänger und Radfahrer.

《 REDEMITTEL

Vorhersagen machen

Es wird eine Bevölkerungsexplosion geben.

etwas vermuten

Wo ist Hans? | Er wird in der Arbeit sein.

jemanden warnen

Du wirst schon sehen, was dann passiert.
Du wirst krank werden, wenn ...

etwas versprechen / sich etwas vornehmen

Ich werde weniger rauchen.

etwas zugeben

Die Frisur sieht besser aus, als ich gedacht habe.
Ich habe versprochen, weniger zu rauchen.
Das ist aber nicht so einfach, wie / schwieriger als ich gedacht habe.

Gespräch im Krankenhaus

Guten Morgen ... Wie geht es Ihnen heute? | Es geht schon besser.
Mein Knie tut mir weh. | Vielleicht geben wir Ihnen zur Stärkung noch ...

Eine Spritze? | Ja, das hilft, ...
Es sieht so aus, als ob ...
Wann kann ich wieder ...?
Es dauert noch ein paar Wochen, bis ...
Dann dürfen Sie es nicht übertreiben.
Sie haben bei ... Glück gehabt, dass nicht mehr passiert ist.
Und wann werde ich entlassen?

Konsequenzen beschreiben

Je älter ich werde, desto/umso mehr Urlaub brauche ich.

Wie hast du das geschafft?

Positiv denken ...

a Denken Sie an Ihre eigene Lebenssituation oder an die von anderen.
Beschreiben Sie, wie Sie die Zukunft sehen.
Denken Sie dabei an möglichst positive Entwicklungen.

Person	Situation jetzt	positive Entwicklung
Anton	im Krankenhaus, Fahrradunfall, Knieverletzung	kann schon wieder ein paar Schritte gehen, wird bald aus dem Krankenhaus entlassen

b Lesen Sie. Welche positive Entwicklung in der Zukunft beschreibt Katrin?

Katrin: Ich bin Studentin und wohne seit drei Jahren in einer
Wohngemeinschaft. Ich mag meine Mitbewohnerinnen. Aber
mein Zimmer hier ist so klein, dass ich nicht einmal einen Klei-
derschrank aufstellen kann. Je länger ich hier wohne, desto öfter
träume ich von meiner eigenen Wohnung. Ich habe schon nach
einer kleinen Wohnung gesucht, aber die Wohnungen sind teurer,
als ich gedacht hatte. Ich werde in den Ferien einen Job suchen und Geld verdienen, und dann werde ich eine Wohnung mieten. Dann werde ich endlich meine
eigene Küche und mein eigenes Badezimmer haben.

c Schreiben Sie einen kurzen Text mit Ihren Ideen aus a und sprechen Sie mit Ihrer Partnerin / Ihrem Partner.

Ich / Mein Freund / ... Je schneller / länger / öfter / ..., desto glücklicher / schwieriger / ...
... ist so ..., dass ...
... ist besser / kleiner / schneller / ..., als ...
... ist so gut / groß / klein / praktisch ..., wie ...
Ich werde ... / Mein Freund / ... wird (sicher) ...

Ich werde sicher ...

Wirst du auch ...?

SIE LERNEN

– *über Fehler sprechen*
– *Bewerbungsgespräche*

GRAMMATIK
– Relativsatz im Gen.
– Nomen mit Präposition
– Nomen / Verben mit
   darüber / ... + Nebensatz
– *trotz*
– Wiederholung: Verben
   mit Präpositionen;
   Präpositionalpronomen;
   trotzdem;
   Nebensatz mit *obwohl*

WORTSCHATZ
– Arbeitssuche
– Bewerbung
– Ausbildung und Beruf

AB **A1 Erfolg und Misserfolg**

a **Lesen Sie die Reaktionen auf Fehler (1–8). Wer findet seinen Fehler eher nicht so schlimm ☺, wer findet ihn eher schlimm ☹?**

1 Den Fehler hätte ich vermeiden müssen. ☹

2 Das war einfach Pech. ○

3 Ich habe wegen des Fehlers ein schlechtes Gewissen. ○

4 Man kann nicht immer korrekt und ordentlich arbeiten. ○

5 Mein Anspruch ist zu hoch. Ich sollte ein bisschen toleranter sein. ○

6 Manchmal klappt es nicht. Das ist eben so. ○

7 Das wird ein schrecklicher Skandal. ○

8 Das nächste Mal darf ich keine Fehler zulassen. ○

b **Partnerarbeit. Vergleichen Sie Ihre Ergebnisse. Welche Sätze aus a sind Ihnen sympathisch?**

▶ 7|17 c **Lesen Sie und hören Sie den Text. Warum ist Helmut Wolf ins Ausland geflüchtet?**

Fehler müssen sein ...

Am Ende ging es sehr schnell. Die Behörden über-
prüften noch einmal alle Einnahmen und Ausgaben,
dann war klar: Die Firma, deren Eigentümer Helmut
Wolf schon monatelang mit der schwierigen wirt-
5 schaftlichen Situation gekämpft hatte, wurde geschlossen. Das Personal[1] wurde entlassen. Skandal
gab es keinen. Auch die Mitarbeiter wussten:
Ihr Chef, dessen Organisationstalent sie immer
geschätzt hatten, hatte einfach Pech gehabt. Ein paar
10 Managementfehler, deren Konsequenzen für den
Betrieb ungünstig waren, hätte man sicher vermeiden können. Aber Helmut Wolf hatte seine Firma
ordentlich und korrekt geführt. Auch viele andere
Betriebe hatten in der Krise Probleme.
15 Einige Angehörige[2] wollten den Firmenchef in der
schwierigen Situation unterstützen, doch Helmut
Wolf war verschwunden[3]. Er hatte seine E-Mail-
Adresse gelöscht und war mit unbekanntem Ziel ins
Ausland gereist. Der Misserfolg war zu viel für ihn.
20 Der Unternehmer, dessen Depression schließlich
länger als ein Jahr dauerte, gründete keine neue
Firma mehr.
Das war schade, denn er hätte seine Erfahrungen
sehr gut in ein neues Projekt einbringen können.
25 Fehler sind immer eine Chance, es besser zu machen. Doch das gelingt nur in einer Kultur, in der
man tolerant mit Fehlern umgeht, in der nicht
immer alles klappen muss. Der Wirtschaftspsycho-
loge Michael Frese hat die Fehlertoleranz in 61 Län-
30 dern untersucht. Deutschland steht in seiner Liste
an vorletzter Stelle. In Deutschland ist der Anspruch,
fehlerfrei zu arbeiten, besonders hoch.
Einerseits ist es gut, wenn man sich bemüht, perfekt
zu arbeiten und keine Fehler zuzulassen. Anderer-
35 seits gibt es auch Nachteile, wenn Unternehmer und
Mitarbeiter bei jeder Tätigkeit Angst vor Fehlern
haben. Wenn wirklich ein schwerer Fehler passiert,
wird er dann oft mit schlechtem Gewissen ver-
schwiegen[4]. Mitarbeiter werden vorsichtig und
40 passiv, sie arbeiten möglichst ohne Risiko, oft aber
auch ohne Fantasie und Freude.
Manchmal stehen Fehler sogar am Beginn einer
Entdeckung. Christoph Kolumbus, dessen Reise
eigentlich nach Indien führen sollte, ist schließlich in
45 Amerika gelandet. Johann Böttger, dessen Auftrag
es war, Gold herzustellen, hat um 1700 das Meißner
Porzellan erfunden. Und der Mediziner Alexander
Fleming hatte ganz einfach vergessen, seine Arbeits-
geräte wegzuräumen. Das führte im Jahr 1928 zur
50 Entdeckung des Penizillins[5].
Der Erfolg braucht auch den Fehler. Nur Versuch
und Irrtum helfen uns, zu lernen.

[1] die Mitarbeiter   [2] Verwandte   [3] weg sein   [4] nichts sagen; (schweigen)   [5] ein Medikament

d **Lesen Sie den Text noch einmal. Sind die Sätze richtig oder falsch? Kreuzen Sie an.**

	richtig	falsch
1 Die Mitarbeiter haben Helmut Wolf für das Ende seiner Firma verantwortlich gemacht.	☐	☐
2 Helmut Wolf hat ein paar Managementfehler gemacht.	☐	☐
3 Helmut Wolf war so enttäuscht, dass er das Land verlassen hat.	☐	☐
4 In vielen Ländern ist man großzügiger gegenüber Fehlern als in Deutschland.	☐	☐
5 Betriebe, die keine Fehler zulassen, haben ausschließlich Vorteile.	☐	☐
6 Kolumbus, Böttger und Fleming haben vor ihren Entdeckungen ebenso Fehler gemacht.	☐	☐

e Lesen Sie den Anfang (Zeile 1–22) und das Ende des Textes (Zeile 42–52) in c noch einmal.
   Unterstreichen Sie die sechs Relativsätze mit *dessen* oder *deren* wie im Beispiel.

> **Relativsätze (Genitiv)**
>
> Der Entdecker Christoph Kolumbus, dessen Reise* nach Indien führen sollte, ist in Amerika gelandet.
>
> • Das Kind, dessen Reise … / • Die Entdeckerin, deren Reise … / • Meine Freunde, deren Reise …

* ≈ die Reise des Entdeckers (≈ seine Reise)

A2 Mit den eigenen Fehlern richtig umgehen …

a Lesen Sie die Tipps (1–3). Welchen Tipp würden Sie gern ausprobieren?

Keine Angst vor Fehlern!
Diese Techniken können helfen, entspannter mit Fehlern umzugehen.

1 Erzählen Sie möglichst vielen Personen von einem kleinen Fehler, den Sie vor Kurzem gemacht haben. Erzählen Sie Ihre Fehlergeschichte mit Humor. Das wird Ihren Blick auf Ihre Fehler verändern.

2 Machen Sie absichtlich einen kleinen Fehler und beobachten Sie die Reaktion der anderen. Sie werden sehen, dass die meisten Personen verständnisvoll reagieren.

3 Haben Sie sich selbst nach einem Fehler schon einmal einen Idioten genannt? Stellen Sie sich immer wieder vor, wie Sie gern behandelt werden möchten, wenn Sie Fehler machen. Sie werden beim nächsten Fehler weniger streng mit sich selbst sein.

b Hören Sie. Welche Geschichte passt zu welchem Tipp aus a?

Geschichte A: Tipp _____   Geschichte B: Tipp _____

c Hören Sie noch einmal und ergänzen Sie Verben und Präpositionen. Ordnen Sie dann den Sätzen (1–4) die passenden Überschriften (a–d) zu.

a ~~Beschwerde über längere Wartezeit~~   c Reaktion auf einen Fehler
b Konzentration auf das Spiel   d Ärger über die eigenen Fehler

Geschichte A
1 ☐a Ich habe Angst, dass die anderen Kunden sich __über__ die längere Wartezeit _____.
2 ☐ Ich habe beobachtet, wie die anderen _____ meinen Fehler _____.

Geschichte B
3 ☐ Wenn ich Tennis spiele, _____ ich mich am meisten _____ meine eigenen Fehler.
4 ☐ Ich werde dann so zornig, dass ich mich nicht _____ mein weiteres Spiel _____ kann.

d Sagen Sie die Sätze aus c anders. Ergänzen Sie wie im Beispiel. → Verben mit Präpositionen, Präpositionalpronomen, Lektion 17

1 Die anderen Kunden beschweren sich __darüber__, dass sie länger __warten__ müssen.
2 Ich habe beobachtet, wie die anderen _____ reagiert haben, dass ich einen _____ gemacht habe.
3 Ich ärgere mich am meisten _____, dass ich selbst Fehler _____.
4 Ich kann mich nicht _____ konzentrieren, dass _____ weiterspielen muss.

> **Verben und Nomen mit Präposition**
> Ärger über einen Fehler
> Ich ärgere mich über den Fehler.
> Ich ärgere mich darüber, dass/…
>   ich einen Fehler gemacht habe.

e Notieren Sie drei Überschriften und „Fehlergeschichten". Erzählen Sie sie dann.

Ärger (über) Entschuldigung (für) Warnung (vor) ~~Furcht (vor)~~ Enttäuschung (über) Unzufriedenheit (mit)
Frage (nach) Glaube (an) Diskussion (über) Lust (auf) ~~Einigung (über)~~ Gewöhnung (an)
Bemühung (um) Interesse (an) Gedanken (an) Traum (von) Beschwerde (über) Bewerbung (um)

Furcht vor Diktaten: Cousin fürchtet sich vor Diktaten in der Schule, macht relativ viele Fehler, …
Einigung über den Preis: Preis für Jeans zu hoch, Verkäufer hat Fehler gemacht, …

AB **B1** Fehler bei der Bewerbung

a **Lesen Sie die Annoncen und stellen Sie sich vor, Sie arbeiten als Personalchefin/Personalchef in diesen Firmen. Wie sollte die Kandidatin / der Kandidat für die Stelle sein? Machen Sie Notizen.**

A Unser Hotel sucht einen **Nachtportier (m/w)**. Schichtarbeit, auch Teilzeit möglich.

B Wir suchen einen/eine **Verkäufer/in für unsere Möbelboutique.** Wir verkaufen ausschließlich Designerware aus Italien und Frankreich. Sie interessieren sich für Mode und Design.

C **Kinderbetreuer/-in gesucht** Sie lieben Kinder und haben Erfahrung mit größeren Kindergruppen. Wir bieten einen Teilzeit- oder Vollzeitjob und ein leistungsorientiertes Gehalt.

D Landeskrankenhaus Innsbruck: **Krankenpfleger/-in gesucht.** Qualifikation: abgeschlossene Ausbildung, Berufspraxis, Fremdsprachenkenntnisse.

E Wir sind eine große Supermarktkette und suchen **Metzger/-innen** für unsere Fleischabteilungen. Sie sind zuverlässig, kräftig und suchen einen sicheren Arbeitsplatz mit guten Karrierechancen? Dann bewerben Sie sich unter www.supermarktbauer.de

F **IT-Experte/-in** für die Betreuung unseres Computernetzwerkes gesucht. Wir bieten ein gutes Gehalt und regelmäßige Fortbildungsseminare.

A freundlich, höflich, nicht ängstlich, ...

b **Partnerarbeit. Was ist für die Berufe in a wichtig, was ist unwichtig? Nennen Sie für jeden Beruf eine wichtige und eine unwichtige Eigenschaft.**

Es ist wichtig, dass die Bewerberin / der Bewerber ... hat/besitzt.

Fremdsprachenkenntnisse   musikalisches Talent   Deutschkenntnisse
abgeschlossene Berufsausbildung   gepflegtes Aussehen   fehlerloser Lebenslauf
kräftige Muskeln   Pünktlichkeit beim Bewerbungsgespräch

Es ist nicht wichtig, dass ...

▶ 7|20 c **Jochen Bergmann hat 160 Personalchefs gefragt, welche Fehler bei Bewerbungsgesprächen häufig passieren. Hören Sie das Radiointerview, kreuzen Sie an und korrigieren Sie die falschen Sätze.**

	richtig	falsch
1 Jochen Bergmann hat 160 Personalchefs interviewt, um ein Buch über Jobinterviews zu veröffentlichen.	☐	☐
2 Das Bewerbungsschreiben sollte man mit der Hand schreiben.	☐	☒
3 Alle Bewerber bemühen sich, während des Bewerbungsgesprächs höflich zu sein.	☐	☐
4 Begleitpersonen sind immer eine gute Unterstützung beim Bewerbungsgespräch.	☐	☐
5 Alle Personalchefs achten auf das Aussehen oder die Kleidung.	☐	☐
6 Am wichtigsten ist es, sich für den Job zu interessieren.	☐	☐

1 ...   2 Es muss nicht mit der Hand geschrieben sein. ...

▶ 7|20 d **Hören Sie das Interview noch einmal. Welche Beispiele für Fehler nennt Jochen Bergmann? Ordnen Sie die Sätze 2–6 aus c den Beispielen zu und erzählen Sie.**

☐ sagen, dass man wenig Zeit hat   ☐2 Bewerbungsschreiben mit Zeichnungen schmücken
☐ Fahrradhelm   ☐ rauchen   ☐ wertvolle Ledermappen abgeben   ☐ telefonieren
☐ sich beschweren   ☐ Jogginganzug   ☐ die Mutter mitbringen   ☐ Kaugummi kauen
☐ sich ohne Aufforderung setzen   ☐ SMS empfangen/schicken

Es gibt Bewerber, die ...

AB B2 Trotzdem stellen wir Sie ein ...

a Welcher Beruf passt nicht zu den Personen? Ordnen Sie zu.

1 [c] Angelika hat Angst vor Hunden.
2 [ ] Wegen seiner Rechenschwäche hat Marco Probleme in Mathematik.
3 [ ] Robert liebt seine langen Haare.
4 [ ] Martin hat einen Sprachfehler.
5 [ ] Alexander hat Höhenangst.
6 [ ] Eva hat eine Rechtschreibschwäche.

a Soldat
b Journalistin
c ~~Briefträgerin~~
d Mathematiklehrer
e Schauspieler
f Pilot

b Partnerarbeit. Machen Sie Dialoge wie im Beispiel und finden Sie weitere originelle Lösungen. Sprechen Sie.

Rechtschreibprogramm am Computer
mehr Verständnis für Kinder mit Rechenproblemen
Therapie bei einem Psychologen machen
~~Briefe in den Briefkasten werfen~~   zu einem Sprachcoach gehen
zu einem privaten Sicherheitsdienst gehen   ...

> *trotz* + Genitiv
> Trotz ihrer Angst vor Hunden will
> Angelika Briefträgerin werden.

- Trotz ihrer Angst vor Hunden will Angelika Briefträgerin werden.
- Sie kann die Briefe doch einfach in den Briefkasten werfen.

c Üben Sie die Dialoge aus b auch mit *obwohl* und *trotzdem*.

→ *obwohl, trotzdem*, Lektion 14

- Angelika will Briefträgerin werden, obwohl ...
- ...

AB B3 Das Bewerbungsgespräch

▷ 7 | 21 a Hören Sie und ordnen Sie die Fragen der Personalchefin.
Für welche Stelle aus 1a bewirbt sich Herr Konrad?

[ ] Wo haben Sie Ihre Ausbildung gemacht?
[ ] Haben Sie denn noch Fragen an uns?
[ ] Wie viel verdienen Sie in Ihrem derzeitigen Job?
[1] Warum haben Sie sich für die Stelle bei uns beworben?
[ ] Wo haben Sie Italienisch und Spanisch gelernt?
[ ] Haben Sie auch ein Empfehlungsschreiben von
Ihrem jetzigen Chef?
[ ] Interessiert Sie unsere Kinderkrippe?

▷ 7 | 21 b Hören Sie noch einmal und notieren Sie Herrn Konrads Antworten auf die Fragen der Personalchefin in a.

1 Frau aus Tirol, ...

c Partnerarbeit. Wählen Sie eine Annonce aus 1a und spielen Sie ein Bewerbungsgespräch.
A ist der Arbeitgeber, B ist der Arbeitnehmer. Tauschen Sie dann die Rollen.
Beachten Sie im Gespräch die Punkte 1–4.

1 Gründe für die Bewerbung (warum – bewerben?)
2 momentaner Arbeitgeber (wo – jetzt arbeiten?)
3 Qualifikationen (welche Qualifikationen – haben?)
4 Gehaltsvorstellungen (welches Gehalt – sich vorstellen?)

Ich habe die Anzeige in ... gelesen.
... interessiere mich für ...
... arbeite seit ... bei ...
... bin arbeitslos.
... habe bei ... gearbeitet.
... bin in ... zur Schule gegangen.

... habe das Gymnasium /
*   die Realschule /... abgeschlossen.*
... habe Kurse ... gemacht.
... habe bisher ... verdient.
... hätte gern ...
Wie viel können Sie anbieten?

C

AB C1 Das macht mich glücklich ...

a In welchen Situationen fühlen Sie sich gut ☺? In welchen Situationen fühlen Sie sich schlecht ☹?
Welche Situationen sind Ihnen egal ☺? Ergänzen Sie und schreiben Sie mindestens fünf Sätze.

1 Gedanken an meine Heimatstadt ◯
2 die Aussicht auf eine Gehaltserhöhung ◯
3 die Erinnerung an meinen ersten Schultag ◯
4 ein Treffen mit guten Freunden ◯
5 eine Diskussion über Politik ☺
6 der Beginn meines Urlaubs ◯

7 eine Warnung vor Betrügern ◯
8 die Verabredung mit einem alten Schulfreund ◯
9 meine Lieblingsspeise auf der Speisekarte ◯
10 die Nähe eines Gewitters ◯
11 ein Unfall eines Verwandten ◯
12 ...

☺ Ich fühle mich gut, wenn ich mit jemandem über Politik diskutieren kann.
☹ Ich fühle mich schlecht, wenn ...   ☺ Es ist mir egal, wenn ...

b Gruppenarbeit. Lesen Sie Ihre Sätze vor und sprechen Sie über die Situationen.

AB C2 Hans im Glück

▶ 7|22 **a** Lesen Sie und hören Sie das Märchen. Welche Tauschgeschäfte macht Hans?
Ordnen Sie die Dinge (A–F).

Hans im Glück Märchen der Brüder Grimm

Nach sieben Jahren Arbeit bekam Hans von seinem Meister einen Sack voll Gold.

Nachdem Hans sieben Jahre lang fleißig gearbeitet hatte, bekam er von seinem Meister einen Sack voll Gold. Hans bedankte sich für seinen Lohn, verab-
schiedete sich und machte sich auf den Weg nach
5 Hause. Nach einiger Zeit kam ihm ein Reiter entge-
gen. „Es muss doch wunderbar sein, auf so einem feinen Pferd zu reiten", sagte Hans zu ihm: „Man sitzt gemütlich, fast wie auf einem Kissen, und ist doch schnell unterwegs." Da schlug ihm der Reiter vor, das
10 Pferd gegen den Sack mit Gold zu tauschen. Hans war einverstanden. Doch weil er ein schlechter Reiter war, wurde er auf dem Pferd bald arg durchge-
schüttelt¹. Da begegnete ihm ein Bauer, der mit einer mageren² Kuh auf dem Weg ins nächste Dorf war.
15 Hans schimpfte über sein Pferd und meinte: „Ach, hätte ich nur eine Kuh. Ich könnte zwar nicht auf ihr reiten, aber ich hätte jeden Tag Milch." Da schlug ihm der Bauer vor, die Kuh gegen das Pferd zu tauschen. Fröhlich zog Hans mit der Kuh weiter. Gegen
20 Mittag wollte er ein Glas Milch trinken. Doch es gelang ihm nicht, die Kuh zu melken. Da sah er einen Metzger, der ein lebendiges Schwein mit sich führte. „Ach, so ein Schwein wäre fein", sagte Hans zu dem Metzger. „Meine Kuh gibt keine Milch, und Speck³
25 schmeckt mir sowieso besser." „Wahrscheinlich ist deine Kuh schon alt", meinte der Metzger und bot sein Schwein zum Tausch an, was Hans gern annahm.

30 Wenig später begegnete er einem jungen Mann, der eine Gans auf dem Arm hielt. „Woher hast du das schöne Schwein?", wollte der Mann wissen. Hans erzählte ihm, wie er das Schwein gegen die Kuh getauscht hatte. Da fasste⁴ der Mann seinen Arm und sagte: „Ich habe gehört, dass ein Schwein gestohlen wurde, vielleicht ist es deines." „Ach,
35 könnte ich deine Gans kriegen⁵ und dir mein Schwein dafür geben, dann wäre mir wohler", meinte Hans ängstlich, und wenig später zog er mit der Gans im Arm weiter. Nach einiger Zeit sah er einen Scheren-
schleifer, der mit einem großen Stein Scheren⁶ und
40 Messer schärfte. Als Hans ihm von seinen Tausch-
geschäften erzählte, schlug der Scherenschleifer vor: „Die Gans macht nur einmal satt⁷, mit dem Stein kannst du aber dein ganzes Leben lang gutes Geld verdienen. Tausch doch mit mir." Und so lud Hans
45 sich den schweren Stein auf den Rücken. Nach einiger Zeit kam er zu einem Brunnen und wollte Wasser trinken. Er konnte den glatten Stein jedoch nicht festhalten und dieser fiel vom Rand⁸ des Brunnens ins Wasser. Als Hans das sah, sprang
50 er senkrecht⁹ in die Luft und rief: „Ich könnte die ganze Welt umarmen. So glücklich wie ich ist wohl kein Mensch unter der Sonne."

¹ etw. schnell hin und her bewegen   ² dünn, nicht fett   ³ fettes Fleisch vom Schwein   ⁴ festhalten, greifen   ⁵ bekommen   ⁶
⁷ keinen Hunger haben   ⁸ der äußere Teil von etw.   ⁹ gerade nach oben; ↔ waagerecht

A ☐   B ☐  C 1  D ☐  E ☐   F ☐

b   Lesen Sie noch einmal und machen Sie Notizen. Warum tauscht Hans?

   Er tauscht das Gold gegen das Pferd, weil ...

AB **C3 Hans im Glück – Alltagsgeschichten**

a   Gruppenarbeit. Wählen Sie einen Zeitungsbericht (A–C) aus und beantworten Sie dann die Fragen (1–4).

A   *Nach Lokaltour vor Gericht*

   Friederike P. aus Buxtehude wartete gespannt[1] auf das Urteil im Prozess gegen Max M. Sie hatte den Vater ihres Kindes auf die Bezahlung von Unterhalt verklagt. Seine Zahlungen waren seit mehreren Monaten ausgefallen. Alle Mahnungen[2] waren vergeblich gewesen.
   Fünf Jahre lang hatte Max M. auf einer Ölbohrinsel in der Nordsee gearbeitet und gut verdient. Doch dann gelang es ihm, an einem einzigen Abend sein Geld komplett auszugeben. Die feuchte[3] Lokaltour begann im Hamburger Hafenviertel, wo Max M. seine Freunde in seine Lieblingskneipen einlud. Nachdem sie ihren Durst gelöscht hatten, besuchten sie das Spielcasino in der Innenstadt. Dort verbrauchten sie Max M.s hart verdientes Geld bis auf den letzten Rest. Doch offensichtlich tat ihm der Abend nicht leid: „Ich weiß, dass ich rechtlich verpflichtet bin, für mein Kind zu sorgen. Das will ich auch tun", erklärte er dem Richter. „Aber das war der glücklichste Abend meines Lebens."

B   *Geld an Betrüger verloren*

   Pech hatte Carola N. aus Wuppertal. Sie hatte sechs Jahre lang als Kellnerin in Saisonbetrieben gearbeitet und fleißig ihr Geld gespart. Ein Bekannter gab ihr den Rat, die Früchte[4] ihrer Arbeit seinem Neffen[5], dem Anlageberater Tobias K. zu überlassen, der dafür angeblich „sichere" Wertpapiere kaufte. Innerhalb von sechs Monaten ging es mit Carola N.s Wertpapieren steil abwärts[6]. Nach einem Rekordverlust im ersten Jahr war von dem gesparten Geld nichts mehr übrig, und von Tobias K. fehlte jede Spur. Für die meisten Kunden von Tobias K. war der schändliche[7] Betrug ein Schlag ins Gesicht. Niemand reagierte so ruhig wie die Kellnerin aus Wuppertal. „Vielleicht ist es besser, dass das Geld weg ist", meinte sie. „Jetzt kann ich mir neue Ziele setzen."

C   *Altersheim für Not leidende Künstler eröffnet*

   Der Abend gehörte ganz Marianne Schön. Die verwitwete[8] Schauspielerin hatte jahrzehntelang in Film und Fernsehen Erfolge gefeiert. Statt ihr Geld für private Zwecke auszugeben, gründete sie ein Altersheim für Not leidende Künstler. Für jene[9] Künstler, die bei der Eröffnungsfeier anwesend[10] sein konnten, war der Abend ein gelungenes Fest. Die Schauspielerin war sichtlich bewegt. „Ich selbst brauche nicht viel", erklärte sie in ihrer Eröffnungsrede. „Meine kleine Innenstadtwohnung reicht[11] völlig. Ich will mein Geld mit der Gemeinschaft[12] der Künstler teilen. Ich habe viel bekommen, jetzt bin ich an der Reihe, etwas zu geben. Ich bin der glücklichste Mensch der Welt, wenn ich mit euch feiern kann."

[1] sehr aufmerksam   [2] strenge Aufforderung   [3] ein bisschen nass; hier: sie haben viel Alkohol getrunken   [4] Obst; hier: der Lohn
[5] Sohn des Bruders / der Schwester; (♀ Nichte)   [6] ↔ aufwärts   [7] ohne Gewissen   [8] der Ehemann / die Ehefrau ist gestorben
[9] die   [10] hier sein; ↔ abwesend   [11] genug sein   [12] Gruppe, die etw. gemeinsam hat

Texte leichter verstehen – Attribute erkennen

Tipp: Streichen Sie in schwierigen Sätzen die Attribute weg (= in den Texten hell markiert). Sie können sich dann besser auf die Hauptinformation konzentrieren.

Was für eine Geschichte?

die **interessante** Geschichte	Adjektiv
die ... Geschichte **im Deutschbuch**	Präposition und Nomen
die ... Geschichte im Buch **meines Freundes**	Genitiv
die **in einer Tageszeitung erschienene** ... Geschichte	Partizipialattribut
die ... Geschichte ..., **die ich dir erzählen will**	Relativsatz

Marianne Schön

1 Wie haben die Personen in den Texten (Max M., Carola N., Marianne Schön) ihr Geld verdient?
2 Wie haben sie ihr Geld „verloren"?
3 Wie reagieren sie auf ihren „Verlust"?
4 Was haben die Geschichten aus der Zeitung mit dem Märchen *Hans im Glück* gemeinsam?

b   Partnerarbeit. Erzählen Sie den Inhalt Ihres Textes und sprechen Sie über die Fragen.

GRAMMATIK

Nomen

Relativpronomen im Genitiv

	Genitiv
Singular	
• maskulin	dessen
• neutral	dessen
• feminin	deren
Plural	
•	deren

Nomen mit Präpositionen

der Ärger über ...	(+ Akk.)	der Ärger darüber
die Freude auf ...	(+ Akk.)	die Freude darauf
die Freude über ...	(+ Akk.)	die Freude darüber
die Angst vor ...	(+ Dat.)	die Angst davor
die Reaktion auf ...	(+ Akk.)	die Reaktion darauf
die Konzentration auf ...	(+ Akk.)	die Konzentration darauf
die Beschwerde über ...	(+ Akk.)	die Beschwerde darüber
...	...	...

Präposition

trotz + Genitiv

Singular	
• maskulin	trotz seines Sprachfehlers*
• neutral	trotz des guten Angebots
• feminin	trotz ihrer Angst vor Hunden
Plural	
•	trotz seiner langen Haare

* ≈ obwohl er einen Sprachfehler hatte, ...

> Und der Cartoon, dessen Hauptdarsteller Sie waren, ist zu Ende?

> Ja leider, wir suchen einen neuen Job.

> Hueber

Satz

Relativsatz – mit Relativpronomen dessen/deren/... (Genitiv)

		Nebensatz		
		Relativpronomen		Satzende
Singular				
• maskulin	Der Entdecker,	dessen*	Reise nach Indien führen	sollte, ...
• neutral	Das Kind,	dessen	Spielzeug da	liegt, ...
• feminin	Die Entdeckerin,	deren	Reise nach Indien führen	sollte, ...
Plural				
•	Die Kinder,	deren	Spielzeug da	liegt, ...

* dessen Reise ≈ die Reise des Entdeckers

Nomen und Verben mit darüber/..., + Nebensatz

Mein Ärger darüber,	dass ich Fehler gemacht habe, ...*
Ich ärgere mich darüber,	dass ich Fehler gemacht habe.
Die Freude darauf,	dass mein Schwester morgen kommt, ...
Ich freue mich darauf,	dass mein Schwester morgen kommt.
Die Freude darüber,	dass heute Sonntag ist, ...
Ich freue mich darüber,	dass heute Sonntag ist.
Die Angst davor,	dass ich die Prüfung nicht schaffe, ...
Ich habe Angst davor,	dass ich die Prüfung nicht schaffe.
Die Reaktion darauf,	dass ich Fehler gemacht habe, ...
Die Leute reagierten darauf,	dass ich Fehler gemacht habe.
Die Konzentration darauf,	dass ich weiterspielen muss, ...
Ich konzentriere mich darauf,	dass ich weiterspielen muss.
...	...

* Manchmal sind auch andere Konjunktionen/Fragewörter möglich:

Die Frage danach, **ob** das möglich ist, ...

Mein Ärger darüber, **wie** ich den Zug verpasst habe, ...

Die Konzentration darauf, **wann** ich weiterspielen muss, ...

REDEMITTEL

sich bewerben

Hiermit möchte ich mich bei Ihnen auf die Stelle als ... bewerben.

Ich habe Ihre Anzeige in ... gelesen.

Ich interessiere mich für die Stelle, weil ... / Für die Stelle interessiere ich mich, weil ...

Momentan / Seit ... arbeite ich bei der Firma ... als ... / bin ich arbeitslos.

Ich habe ... studiert / eine Ausbildung als ... gemacht / bei ... gearbeitet.

Ich bin in ... zur Schule gegangen.

Ich habe das Gymnasium/... abgeschlossen.

Dort habe ich auch Deutsch gelernt.

Ich habe am Goethe-Institut / in ... Deutsch gelernt.

Als ... verdiene ich jetzt/momentan ... / Bei ... verdiene ich ... Euro ... netto/brutto.

Ich habe bisher ... verdient. Ich hätte gern ... Wie viel können Sie anbieten?

Lektion 30 244 zweihundertvierundvierzig

Quellenverzeichnis

Titelbild: © Getty Images/E+/Michael Haul

S. 149: Sportler © Thinkstock/iStock/Maridav; Albert Einstein © Glow Images/SuperStock; Tina Turner © action press/Buena Vista Pictures/Courtesy Everett Collection; Großmutter © Thinkstock/iStock/Lighthaunter; Mahatma Gandhi © Glow Images/Heritage Images/Ann Ronan Pictures; Mann unten © Thinkstock/Ingram Publishing

S. 150: oben: A © action press/Collection Christophel, B © Glow Images/Deposit Photos, C © Glow Images/ImageBroker/Michael Weber, D © Thinkstock/Photos.com, E © Glow Images/Heritage Images/Jewish Chronicle; unten: Atomkraft-Logo © iStockphoto/Tjanze, Friedenstaube © Thinkstock/iStock/Ekaterina_P

S. 151: Briefmarke Albert Einstein © Glow Images/Deposit Photos; Briefmarke Marlene Dietrich © Glow Images/Deposit Photos

S. 155: A © Thinkstock/iStock/Ridofranz; B © Thinkstock/iStock/Asthakova

S. 157: Urlaubsfotos © Thinkstock/iStock/Krystal Slagle; Zelten: Mann und Frau mit Tablet © Thinkstock/iStock/AndreyPopov, Familienfoto auf Tablet © Thinkstock/Digital Vision/Darrin Klimek; Silvester am Meer © Thinkstock/iStock/Eduardo Leite; Actionfilm: Szene © fotolia/fotogestoeber, Multimedia-Rahmen © Thinkstock/iStock/YasnaTen; Erinnerungen: Handy © Thinkstock/iStock/Maksim Kabakou, Familienfoto auf Handydisplay © Thinkstock/Hemera/Christopher Futcher; Frau unten © Thinkstock/Creatas/Jupiterimages

S. 158: A © Thinkstock/iStock/sergio_kumer; B © Joo Fürst, http://www.johann-fuerst.de

S. 161: Unterhaltung Mann und Frau © Thinkstock/Photos.com/Jupiterimages

S. 162: Buchcover *Heidi* © Glow Images/SuperStock

S. 163: Buchcover *Die Piefke-Saga* © Haymon Verlag

S. 165: Werbung © Thinkstock/Fuse; Konsum © Thinkstock/Wavebreak Media/Wavebreakmedia Ltd.; Tante-Emma-Laden © Thinkstock/iStock/Highwaystarz-Photography; Boutique © Thinkstock/iStock/Yahor Piaskouski; Flohmarkt © Thinkstock/iStock/hsvrs; Mann unten © Thinkstock/iStock/LuminaStock

S. 166: Minimalist © Thinkstock/Wavebreak Media/Wavebreakmedia Ltd.; Schnäppchenjägerin © Thinkstock/Wavebreak Media/Wavebreakmedia Ltd.

S. 171: B © Thinkstock/iStock/Khlongwangchao; Brainstorming © Thinkstock/iStock/BartekSzewczyk; unten von links: © Thinkstock/iStock/Davizro, © Thinkstock/iStock/tycoon751, © Thinkstock/iStock/gofotograf, © Thinkstock/PHOTOS.com/Hemera Technologies, © Thinkstock/iStock/Mirko Vuckovic, © Thinkstock/iStock/AnikaSalsera

S. 173: optische Täuschung © fotolia/Fiedels; Ratgeber: Cover © Thinkstock/iStock/klenova, Buch © fotolia/sumire8; Bio-Tomaten © Thinkstock/iStock/mariusz_prusaczyk;

künstliche Lebensmittel © Thinkstock/Digital Vision/Michael Blann; Fernsehnachrichten © Thinkstock/Fuse; Frau unten © Thinkstock/iStock/Desja

S. 174: 2 x © Hueber Verlag/Meier

S. 176: Smartphone © Thinkstock/iStock/fsettler

S. 177: 1 © Thinkstock/iStock/Pixlmaker; 2 © fotolia/ExQuisine; 3 © Thinkstock/iStockphoto; 4 © Thinkstock/iStock/NatalyaAksenova; 5 © Thinkstock/iStock/Gewoldi; 6 © Thinkstock/iStock/Ameng Wu; 7 © Thinkstock/iStock/Lalouetto

S. 178: Gespräch © Thinkstock/Photodisc/Ryan McVay

S. 181: Bootstour © Thinkstock/iStock/filipefrazao; Wüstentour © Thinkstock/iStock/Maria Pavlova; Safari © Thinkstock/iStock/Josep Pena Llorens; Wintercamping © Thinkstock/iStock/naumoid; Mann unten © Thinkstock/Pixland

S. 182: A © Glowimages/The Print Collector; B © Thinkstock/Purestock

S. 183: Fahrradtour © Thinkstock/Digital Vision; historisches Fahrrad © Thinkstock/iStock/PeteKlinger

S. 184: Monika und Ron © Thinkstock/iStock/Dangubic

S. 185: Warnschild © Thinkstock/iStock/Birthe Lunau

S. 189: Seniorinnen © Thinkstock/iStock/Catherine Yeulet; Kinder © Thinkstock/Hemera/Sergey Galushko; alte Küche © Thinkstock/iStock/lcodacci; Schuhe © Thinkstock/iStock/ruthemily; Sessel © Thinkstock/iStock/KatarzynaBialasiewicz; Frau unten © Thinkstock/iStock/Ridofranz

S. 190: Dirk © Thinkstock/iStock/LuminaStock; Sonja © Thinkstock/iStock/m-imagephotography

S. 194: Hinweisschilder © PantherMedia/Marc Czieslick; Personen im Bus © dpa Picture-Alliance/Heiko Wolfraum

S. 197: Wasserrutsche © Thinkstock/iStock/CTRPhotos; Wissenschaft © Thinkstock/iStock/AlexRaths; Brückenbau © Thinkstock/Stockbyte/John Foxx; internationale Messe © PantherMedia/Aleksej Penkov; Mann unten © Thinkstock/iStock/omgimages

S. 198: A © Campus Galli, www.campus-galli.de; B © iStock/ZU_09

S. 199: A © PantherMedia/Kerstin Hennig; B © Glow Images/IMagebroker/Hans Blossey; C © PantherMedia/Karsten Metternich; D © dpa Picture-Alliance/epa Keystone/Martin Ruetschi

S. 202: A © Glowimages/Imagebroker/Iris Kürschner; B © action press/Ullstein Bild; C © action press/imagebroker.com

S. 205: Krimi: Cover © Thinkstock/iStock/Max Maier, Buch © fotolia/sumire8; Polizeiabsperrung © Thinkstock/iStock/ollo; Polizeihund © PantherMedia/pixpack; Pressekonferenz © Thinkstock/iStock/Mihajlo Maricic; Frau unten © Thinkstock/Stockbyte/Brand X Pictures

S. 207: A © Thinkstock/iStock/AmmentorpDK; B © fotolia/Andre Bonn; C © Thinkstock/Stockbyte/Jupiterimages; D © PantherMedia/Heiko Küverling; E © Thinkstock/iStock/fotoedu; F © Thinkstock/Monkey Business Images/Stockbroker